Colección Documentos

El sexo en la Biblia

Marco Schwartz

El sexo en la Biblia

Buenos Aires, Bogotá, Barcelona, Caracas, Guatemala,
Lima, México, Miami, Panamá, Quito, San José, San Juan,
Santiago de Chile, Santo Domingo

www.librerianorma.com

Schwartz, Marco, 1956-

El sexo en la Biblia / Marco Schwartz. – Bogotá :

Grupo Editorial Norma, 2008.

272 p. ; 21 cm. – (Colección documentos)

ISBN 978-958-45-1321-2

1. Ensayos colombianos 2. Sexo en la Biblia - Ensayos

3. Religiones - Historia - Ensayos 4. Cristianismo - Ensayos

5. Judaísmo - Ensayos I. Tít. II. Serie.

Co864.6 cd 21 ed.

A1178668

CEP-Banco de la República-Biblioteca Luis Ángel Arango

Imagen de cubierta: J. M. B.
Adaptación de cubierta: Paula Gutiérrez
Diagramación: Luz Jazmine Güechá Sabogal

CC. 26038067
ISBN: 978-958-45-1321-2

Impreso por: Cargraphics S.A.
Impreso en Colombia
Printed in Colombia
Septiembre de 2008

Este libro se compuso en caracteres ITC New Baskerville

06/09/08

Índice

Capítulo VII. El divorcio

Capítulo VIII. Poligamia

Capítulo IX. Matrimonios mixtos

Capítulo X. El acto sexual

Introducción

¿CÓMO SE ENAMORABAN los personajes de la Biblia? ¿Dónde se producía el flechazo? El acto sexual, ¿cómo se practicaba? ¿Cuáles eran las técnicas de seducción? ¿Por qué era tan preciada la virginidad femenina? ¿Qué relaciones eran consideradas incestuosas? ¿Cómo se ejercía la prostitución? ¿Qué suerte corrían los adúlteros? ¿Tenía cabida la homosexualidad? En las siguientes páginas se da respuesta a estos y a muchos otros interrogantes relativos a la sexualidad en la Biblia, la obra literaria que más ha influido en la modelación de las conductas y valores de la civilización occidental. El trabajo se centra en el Antiguo Testamento, aunque con frecuencia se hagan referencias al Nuevo Testamento. El primero recoge la historia y las leyendas del pueblo de Israel, y contiene además abundantes referencias a las costumbres de las naciones e imperios vecinos —egipcios, babilonios, asirios, persas, filisteos, moabitas, sidonios—, así como a los pequeños pueblos que moraban en Canaán en el momento de la conquista por los israelitas.

El Antiguo Testamento no es un libro unitario, sino un conjunto de libros escrito por diferentes autores que representaban distintos intereses y tradiciones, a menudo antagónicos entre sí. Por ejemplo, el libro de Reyes censura las uniones del rey Salomón con mujeres extranjeras, mientras que el libro de Crónicas omite cualquier reproche a esos devaneos del monarca. Además, la redacción del Antiguo Testamento abarca un período de por lo menos nueve siglos —de X a I a. C.—, tiempo dilatado en el que, lógicamente, evolucionaron las costumbres y variaron las normas que regulaban la sociedad. Por ejemplo, el matrimonio entre hermanos estaba permitido en la era patriarcal —Abraham y su esposa Sara eran hermanos por parte de padre—, pero se prohibió en la posterior ley levítica. En ciertas ocasiones, para una mejor comprensión de los relatos, se llamará la atención sobre esta circunstancia.

Otro dato que hay que tener en cuenta es que en el Antiguo Testamento conviven diversos géneros literarios: relatos propiamente dichos, proverbios, poemas, códigos legales, discursos proféticos... Todas estas modalidades narrativas contienen, de un modo u otro, referencias a la vida amorosa y sexual. Algunas narraciones describen a personajes de existencia comprobada; otros, en cambio, cuentan los avatares de figuras presumiblemente míticas, que, más que a individuos, representarían a colectivos humanos. Por ejemplo, el matrimonio de Esaú, también llamado Edom, con la hija de Ismael en la época patriarcal podría recordar una alianza política entre los pueblos edomita e ismaelita. Para efectos de este libro nos dará lo mismo que los personajes sean de *carne y hueso* o simbólicos. Estos últimos aparecen tan humanizados en los relatos que sus historias proporcionan abundante y muy rica información sobre el tema que trata el presente libro: el sexo.

Para esta obra nos hemos basado en el canon católico de la Biblia, con el que está familiarizado el público hispanohablante. Dicho canon incorpora al Antiguo Testamento seis libros —Tobías, Judit, Macabeos, Sabiduría, Eclesiástico, Baruc— y fragmentos de otros dos —Ester y Daniel— que son ignorados en el canon hebreo y considerados apócrifos por el protestantismo.

Para los pasajes bíblicos entrecomillados hemos utilizado como referencia la Biblia de la Biblioteca de Autores Cristianos, cuya versión directa de las lenguas originales fue realizada por Eloíno Nácar Fuster y Alberto Colunga. Tres razones nos han inclinado a esta versión: su excelente calidad, su autoridad entre los traductores bíblicos y su popularidad entre el público español.

Capítulo I
Al comienzo fue el sexo

“Procread y multiplicaos”

Al principio creó Dios los cielos y la tierra. La tierra era un caos y se hallaba envuelta en tinieblas. Hizo entonces Dios la luz, el firmamento, los continentes, los mares, la vegetación, los astros, y los animales acuáticos y voladores. En el sexto día, tras la creación de las bestias terrestres, se produjo el momento culminante de la Creación: “Díjose entonces Dios: ‘Hagamos al hombre a nuestra imagen y semejanza, para que domine sobre los peces del mar, sobre las aves del cielo, sobre los ganados y sobre todas las bestias de la tierra, y sobre cuantos animales se mueven sobre ella’. Y creó Dios al hombre a imagen suya, a imagen de Dios lo creó, y los creó macho y hembra; y los bendijo Dios, diciéndoles: ‘Procread y multiplicaos, y henchid la tierra; sometedla y dominad sobre los peces del mar, sobre las aves del cielo y sobre los ganados y sobre todo cuanto vive y se mueve en ella’. En el séptimo día, Dios descansó”.

Con este relato de la Creación, que aparece en el capítulo 1 del libro del Génesis, empieza la Biblia. Los expertos lo atribuyen al redactor sacerdotal o *P*. La primera vez que Dios se dirige a los seres humanos es para exhortarlos a copular. “Procread y multiplicaos”, les dice. La misma orden ha transmitido previamente a los animales. El objetivo de Dios es poblar la tierra recién creada. La actividad sexual se presenta en este primer relato con una orientación claramente reproductora, visión que estará presente a lo largo de toda la obra bíblica.

Barro y costilla

En el capítulo 2 de Génesis aparece una segunda versión, muy distinta, de la Creación. Dios crea en primer lugar al hombre, del barro, y le insufla el aliento de la vida. Seguidamente le construye un jardín en Edén, donde hace brotar árboles hermosos y frutales deliciosos. Le dice que puede comer de todos, excepto, bajo amenaza de muerte, del árbol de la ciencia del bien y del mal. A continuación dice Dios: "No es bueno que el hombre esté solo; voy a hacerle una ayuda proporcionada a él". Llevó entonces ante el varón todos los animales terrestres y aves que había creado, para que les pusiese nombre. El hombre nombró a todos los animales, pero "no encontró en ellos la ayuda adecuada". Sumió entonces Dios al hombre en un sueño profundo, le extrajo una costilla y formó con ella a la mujer. "Ésta sí que es hueso de mis huesos y carne de mi carne", exclamó el varón al ver a la nueva criatura. "Ésta se llamará varona (*ishá* en el original hebreo) porque del varón (*ish*) ha sido tomada". Tras las palabras del primer hombre, el relato prosigue: "Por eso dejará el hombre a su padre y a su madre, y se adherirá a su mujer; y vendrán los dos a ser una sola carne". Y concluye con esta apostilla: "Estaban ambos desnudos, el hombre y su mujer, sin avergonzarse de ello".

Este relato, atribuido al redactor yavista o *J*, no menciona la procreación, al menos de modo explícito. Dios crea a la mujer para que acompañe al hombre y le sirva de ayuda. La sexualidad adquiere así una dimensión social, por decirlo de alguna manera. La afirmación de que el hombre "dejará a su padre y a su madre, y se adherirá a su mujer" esboza la institución matrimonial, aunque la frase puede prestarse a equívocos porque en la costumbre israelita era la mujer quien abandonaba su hogar familiar para entrar a forma parte del clan del marido.

El editor final del Pentateuco —algunos expertos lo identifican con el escriba Esdras, siglo v a. C.— no vio ningún inconveniente en conservar ambas versiones de la Creación, colocándolas una después de la otra como si formaran una misma historia. Quizá consideró que los dos relatos se complementaban a la perfección en el objetivo de presentar la sexualidad como un instrumento de procreación y compañía, en el marco del matrimonio.

La mujer en el plan de Dios

Muchas organizaciones feministas que pretenden conciliar su lucha reivindicativa con la fe religiosa esgrimen el primer relato de la Creación como paradigma de la igualdad entre géneros. No les faltan argumentos: Dios creó al *adam —hombre* en hebreo, utilizado aquí en el sentido de *humanidad—* y lo formó al mismo tiempo macho y hembra. A continuación bendijo a ambos, los invitó a procrear en igualdad de condiciones y les otorgó idéntica potestad sobre los demás seres vivientes.

Las cosas cambian en el segundo relato de la Creación. El hombre aparece ahora en primer lugar, lo que parece otorgarle un puesto de preeminencia. La mujer nace al final del proceso y de una costilla del macho, lo que insinúa una posición de dependencia. Además, Dios la crea como ayuda para el varón, con las connotaciones de servidumbre que ello implica. Todo sugiere que la mujer queda en una clara situación de desventaja. Sin embargo, una corriente moderna de interpretación bíblica sostiene que este segundo recuento de la Creación también consagra la igualdad entre géneros. Estos son sus argumentos:

El orden de aparición del hombre y la mujer se explicaría como un mero recurso literario. El autor aplica una técnica narrativa circular, muy común en la Biblia, que busca causar en el lector el mismo impacto con el comienzo que con el desenlace de la historia. Al dejar para el final la aparición de la mujer, el narrador habría pretendido realzar la magnitud del acontecimiento y otorgarle la misma relevancia que al surgimiento del varón.

Respecto a la procedencia de la mujer de la costilla del hombre, habría que verlo como un esfuerzo del narrador por crear un argumento vistoso. Hay que tener presente que el autor *J* era muy dado a las historias coloristas. La mitología acadia, mucho más antigua que la hebrea, contiene leyendas que asocian costilla con vida. El autor pudo inspirarse en alguna de esas historietas para transmitir un mensaje de igualdad e intimidad entre el hombre y la mujer, jugando con la circunstancia de que la palabra hebrea *tsela* significa *costilla*, pero también *costado* o *arista*. El mensaje sería que la mujer nace de un lado del hombre, no de su cabeza, lo que la haría superior, ni de sus pies, lo que la haría inferior. Las palabras que pronuncia el varón al ver por vez primera a su compañera —"esta sí que es hueso de mi hueso y carne de mi carne"— reforzarían el argumento: en distintos pasajes del Antiguo Testamento, la misma frase es pronunciada entre varones como expresión de estrecha relación de parentesco o política, con compromiso de lealtad entre las partes. "Eres hueso de mi hueso", exclama emocionado Labán al conocer a su sobrino Jacob.

En cuanto al surgimiento de la mujer como ayuda para el hombre, el texto original hebreo utiliza la expresión *ezer kenegdó,* que traduce literalmente "ayuda como-contra-él". Ayudar no implica en sí mismo sumisión o servidumbre: casi todas las ayudas que cita la Biblia las proporciona una instancia superior. Y cuando el narrador añade que la ayuda es "como-contra" alguien, pretende recalcar el carácter de contraparte, no de sumisión.

Pero, al margen de estos argumentos, existe uno muy simple y de sentido común contra la hipótesis de que el segundo recuento de la Creación establece la subordinación femenina, y es que la subordinación será, precisamente, el castigo que Dios imponga más adelante a la mujer cuando coma del fruto prohibido, como se verá a continuación.

La Caída

Concluida la formación del mundo, el narrador *J* prosigue su historia y cuenta lo que ocurrió en el plácido jardín del Edén. Una astuta serpiente entró en escena y persuadió a la mujer de que probara el fruto del árbol de la ciencia del bien y del mal. La mujer sucumbió a la tentación y ofreció el fruto al hombre, que también comió. Entonces, cuenta la Biblia, "abriéronse los ojos de ambos, y viendo que estaban desnudos cosieron unas hojas de higuera y se hicieron unos ceñidores". Oyeron entonces a Dios, que paseaba por el jardín, y se escondieron. Dios preguntó al hombre dónde estaba, y éste respondió que se había escondido, temeroso de su desnudez. "¿Y quién te ha hecho saber que estabas desnudo? ¿Es que haz comido del árbol del que te prohibí comer?", le dijo Dios. Descubierto en la transgresión, el hombre echó la culpa a la mujer, que a su vez responsabilizó a la serpiente.

Enfurecido, Dios sometió a los tres a un juicio sumario y dictó sentencia. Al hombre lo condenó a ganar el pan con el sudor de la frente hasta que volviese al polvo. A la mujer la condenó a sufrir en la preñez y en los partos, y le añadió el siguiente castigo: "Para tu hombre será tu deseo, y él dominará en ti". Después del juicio, cuenta el narrador, "el hombre llamó Eva a su mujer, por ser la madre de todos los vivientes", y Dios los vistió a ambos con túnicas de pieles.

Seguidamente los expulsó del paraíso y colocó a la puerta de éste un querubín armado de una espada flamígera para custodiar el camino hacia el árbol de la vida, con el fin de que los condenados no pudieran comer de su fruto y acceder a la inmortalidad.

Nuevos roles

El mundo idílico de la Creación ha saltado en pedazos. Aunque el hombre no sale bien librado del juicio —aparece como un débil de carácter y un cobarde delator—, la mujer queda a partir de ahora, de modo inequívoco, en una posición de inferioridad. "Para tu hombre será tu deseo, y él dominará en ti", la sanciona Dios. El varón estrena su poder poniéndole nombre a su compañera: Eva. Es posible que el narrador, desde su óptica *machista*, pretendiera fijar algún límite a la nueva autoridad del hombre; a diferencia de muchas traducciones, el texto hebreo no dice que el varón *dominará* a la mujer: el término que utiliza es *yimshal*, que significa *gobernar* o *dar ejemplo* y excluye la idea de despotismo.

La otra parte del castigo —"para tu hombre será tu deseo"— sigue siendo fuente de controversia. Es evidente que la sanción encierra algún tipo de sometimiento de la voluntad de la mujer a la del varón, pero no queda claro su alcance. La palabra hebrea que se traduce por *deseo*, *teshuká*, implica una inclinación intensa hacia algo o alguien, no necesariamente sexual. Por ejemplo, al comprobar el odio de Caín hacia su hermano Abel, Dios advierte al primero: "Para el mal será tu deseo". Aplicado a relaciones de pareja, el término *teshuká* aparece sólo una vez más en toda la Biblia aparte del episodio del castigo a Eva y lo hace, paradójicamente, en una escena de gozosa sensualidad. "Yo soy para mi amado, y es para mí su deseo", dice la novia en el Cantar de los Cantares. Y más curioso aún es que, en contra de lo que establece el castigo divino, aquí es la mujer quien se declara dueña del deseo del varón.

Más allá de estas consideraciones, el relato del narrador *J* no hace más que constatar, en clave mitológica, lo que era la situación subordinada de la mujer en su tiempo, atribuyendo esa subordinación no al proyecto original de Dios, sino a un fallo de la propia mujer. En la Biblia, la hembra ocupa un lugar secundario. Es propiedad de su padre y, luego, de su marido. No hereda, salvo que carezca de hermanos varones. No se le consulta para el matrimonio. No puede promover el divorcio. Tiene prohibido participar en oficios religiosos. Sus votos en el templo valen menos que los del hombre. Al mismo tiempo, y por contradictorio que parezca, la mujer no sale del todo mal librada en los relatos bíblicos. Hay juezas, como Débora; mujeres con enorme ascendencia sobre sus maridos, como la matriarca Sara y Betsabé; heroínas, como Judit. En el antiguo Israel, las mujeres no estaban encerradas en sus casas ni iban cubiertas de la cabeza a los pies como las afganas o muchas mujeres árabes de hoy. Las muchachas israelitas ayudaban en las tareas domésticas, participaban en labores de pastoreo y tenían ocasión de relacionarse con personas del otro sexo. En otras palabras, estaban subordinadas al hombre, pero —sin que sirva de consuelo— su vida era algo más llevadera que la de las mujeres en otras culturas.

¿Fue el sexo el pecado original?

De acuerdo con la literalidad de la Biblia, la primera pareja fue castigada por un acto de desobediencia y soberbia:

por probar del fruto del bien y el mal y pretender así ser tan sabios como los dioses. En el siglo IV de nuestra era, san Agustín planteó que el *pecado original* —término acuñado dos siglos antes por Tertuliano— no se limitó a Adán y Eva, sino que se transmite de generación en generación a toda la humanidad mediante el acto de procreación y sólo se redime mediante el bautizo. Tan curioso planteamiento tomó derroteros insospechados y transmitió en ciertos ámbitos la idea de que el acto sexual fue el primer pecado de la humanidad, con todas las consecuencias nefastas que tal doctrina ha tenido para el normal desarrollo de la sexualidad de muchos seres humanos. A esa teoría contribuyó el hecho de que la primera reacción de Adán y Eva tras comer del fruto prohibido fue la toma de conciencia de su desnudez.

En realidad, difícilmente puede ser el sexo el pecado original, cuando el mismo Dios animó a la primera pareja a procrear y multiplicarse. La toma de conciencia de la desnudez no significa que el hombre y la mujer acaben de hacer el amor, sino que, al ganar capacidad de discernimiento entre el bien y el mal, saben que han cometido una falta grave y se sienten insignificantes y desprotegidos. La Biblia no dice que sientan vergüenza el uno del otro por su desnudez, sino ante Dios. La palabra hebrea que se utiliza aquí por desnudo —*eirom*— describe una falta de ropaje sin connotaciones sexuales. En el capítulo del libro de Levítico donde se abordan las relaciones incestuosas se utiliza otro término —*ervá*— para la desnudez genital.

Algunas corrientes de pensamiento, en especial las vinculadas al psicoanálisis, consideran que en cualquier caso, más allá de lo que haya querido transmitir el narrador bíblico, la historia arrastra en el fondo un importante simbolismo sexual. La presencia de la serpiente como provocadora de la tentación aporta un elemento fálico al relato. Aunque la conciencia de desnudez de la primera pareja constituya una metáfora de la humildad y desprotección que sienten los pecadores, detrás de esa asociación habría un trasfondo inequívocamente sexual.

Capítulo II
Amor y seducción

“Embriáguente sus amores”

La Biblia utiliza la palabra hebrea *ahavá* para referirse al amor en general —entre parientes, entre amigos, entre Dios e Israel, entre hombre y mujer—, sin entrar en reflexiones filosóficas acerca de la naturaleza del sentimiento. El término, en sus distintas variantes, aparece algo más de doscientas veces en el Antiguo Testamento, de las cuales cerca de una treintena se refieren a relaciones de pareja. En los relatos en donde brota el amor entre un varón y una hembra, los narradores bíblicos suelen recalcar previamente que la mujer es hermosa, dando a entender que el aspecto físico femenino resulta un factor determinante, si no exclusivo, para provocar la fuerza de atracción en el hombre. Jacob, hijo del patriarca Isaac, había robado mediante un ardid la bendición paterna de primogenitura a su hermano Esaú. Huyendo de la furia vengativa de éste, se dirigió a la casa de Labán, hermano de su madre, en la lejana región de Padán Aram. Cuenta la Biblia: “Tenía Labán dos hijas; una, la mayor, de nombre Lía; otra, la menor, de nombre Raquel. Lía era tierna de ojos, pero Raquel era de bella figura y de bello parecer. Amó Jacob a Raquel, y dijo a Labán: ‘Te serviré siete años por Raquel, tu hija menor’”.

El amor se presenta en una atmósfera positiva si desemboca o se desarrolla en el matrimonio correcto, es decir, el que no vulnera las normas ni contraviene los intereses de Israel. A algunos incluso les sirve como alivio tras una desgracia, como a Isaac, hijo del patriarca Abraham, que al amar a Rebeca halló "consuelo por la muerte de su madre". Los autores bíblicos resaltan con frecuencia el lado gozoso y concupiscente del amor al aconsejar a los jóvenes israelitas que se casen con mujeres de su propio pueblo y no con extranjeras. Dice el autor de los Proverbios:

> Gózate en la mujer de tu mocedad,
> cierva carísima y graciosa gacela;
> embriáguente siempre sus amores
> y recréente siempre sus caricias.

Cuando la relación afecta los intereses de Israel, el amor deja de ser mostrado en un contexto positivo, pero se le sigue denominando por su nombre: amor. El autor del libro primero de Reyes deja bien patente su tono de reproche al describir el siguiente pasaje sobre el rey Salomón y su conocido desenfreno pasional: "El rey Salomón, además de la hija del faraón, amó a muchas mujeres extranjeras, moabitas, ammonitas, edomitas, sidonias y jeteas, de las naciones de las que había dicho Yavé a los hijos de Israel: 'No entréis a ellas, ni entren ellas a vosotros, porque de seguro arrastrarán vuestros corazones tras sus dioses'. A éstas, pues, se unió Salomón con amor".

Por repulsivo que suene, el término *amor* se aplica incluso a deseos que conducen a actos de violación. Cuenta la Biblia que Amnón, hijo del rey David, *amaba* a su media hermana Tamar con tal pasión que la forzó sexualmente, tras lo cual la aborreció de tal modo "que el odio que le tomó fue todavía mayor que el amor con que la había amado". Del jivita Siquem se nos dice que, después de violar a Dina, hija del patriarca Jacob, la *amó* y la pidió por esposa.

Cuando el hombre se siente atraído por la esposa de otro, y por tanto está en camino de incurrir en un delito de adulterio, los narradores bíblicos suelen describir el sentimiento con el verbo *codiciar.* El término refleja un deseo ansioso, aunque no siempre negativo, ya que Dios aparece en algunos pasajes codiciando ciudades que le son fieles. "No codiciarás la mujer de tu prójimo", advierte uno de los mandamientos. "No codicies su hermosura en tu corazón", aconseja un hombre a su joven hijo para que no sucumba a los encantos de una casada, consciente de que ese desliz le puede acarrear la muerte. Otras veces los narradores no ponen nombre alguno al sentimiento de atracción, sino que, lisa y llanamente, se limitan a describir los hechos, como sucede en el adulterio del rey David. Cuenta el narrador que el monarca, una tarde en que paseaba por el terrado de su palacio, vio a una mujer "que estaba bañándose y era muy bella". Mandó preguntar quién era y, cuando le informaron de que era Betsabé, esposa del soldado Urías, ordenó que la trajeran al palacio y yació con ella.

Aunque lo normal es que el amor resulte del contacto visual, también puede surgir de oídas, tal como narra el libro de Tobías. El piadoso Tobías y su acompañante Rafael, que era en realidad un ángel bajo apariencia humana, se acercaban a la ciudad de Ectábana, cuando dijo el segundo: "Hoy, hermano, habremos de pernoctar en casa de Ragüel, tu pariente, que tiene una hija llamada Sara. Yo le hablaré para que te la den por mujer, que a ti te toca su herencia, pues tú eres ya el único de su linaje; la joven es bella y discreta". Tobías duda en un primer momento, y con motivo, pues ha escuchado que Sara está cautiva de un demonio que la *ama* y que ha matado a sus siete maridos sucesivos en la cámara nupcial. Pero Rafael tranquiliza a Tobías, recordándole el deseo de su padre de que se case con una mujer de su linaje y proporcionándole la fórmula para derrotar al demonio. Tras escuchar los argumentos de su acompañante, Tobías sintió un *grande amor* por Sara.

Por lo general, la Biblia da cuenta del sentimiento amoroso que surge en el varón. La mujer aparece como un sujeto pasivo que con su belleza desata en el macho el terremoto pasional. Un caso excepcional en este sentido es el de la hija menor del rey Saúl, que muestra su deseo por David, a la sazón un joven y valeroso guerrero adorado por las multitudes: "Micol, la otra hija de Saúl, amaba a David; lo supo Saúl y esto le agradó". Las pretensiones de la muchacha le fueron comunicadas de inmediato a David, y la pareja se casó más adelante.

La química del amor

En algunas ocasiones, la Biblia menciona dos elementos para subrayar la intensidad del sentimiento amoroso. Del príncipe Siquem se nos informa que "su alma se apegó" a Dina después de violarla. A Tobías "se le apegó el corazón" a Sara una vez su compañero Rafael lo convenció de que no había peligro alguno para casarse con la endemoniada muchacha. "¿Cómo puedes decir que me quieres, cuando tu corazón no está conmigo?", reclama con despecho la filistea Dalila a Sansón ante la resistencia del juez israelita a revelarle el secreto de su fuerza descomunal. Alma y corazón. Corazón y alma. Saber qué significaban esos dos elementos para los antiguos israelitas nos ayudará a comprender mejor cómo experimentaban los personajes bíblicos eso que hoy llamamos la química del amor.

El concepto que la civilización occidental tiene del alma como un componente espiritual del ser humano proviene de la cultura griega. Los antiguos israelitas veían las cosas de manera distinta. Para ellos, todos los seres vivientes, tanto las personas como las bestias, estaban compuestos de *nefesh* y carne. El *nefesh* es una especie de ser primario donde residen la fuerza vital, los instintos, las pasiones, los afectos. Tiene, en cierto modo, un carácter fisiológico y se identifica con partes concretas del organismo. Por ejemplo, con la sangre, como fuente de vida. Después del Diluvio, Dios dice a Noé: "Todo animal vivo será para vosotros alimento, así como toda la verdura di para vosotros. Pero carne con su *nefesh*, su sangre, no comeréis". También se asocia con la garganta, órgano donde a menudo se somatiza la angustia: "Sálvame, Dios, porque las aguas me llegan al *nefesh*", dice el salmo 69 del texto hebreo.

Las Biblias en español suelen traducir *nefesh* por *alma*, aunque en el salmo 69 lo hagan excepcionalmente por *cuello* para una mejor comprensión de la frase. Ambas acepciones, sin ser del todo incorrectas, resultan insuficientes. Algunos traductores exigentes prefieren dejar la palabra en su versión original hebrea, y explicarla en una nota al margen, por considerar que su transposición a otra lengua no recogería cabalmente la complejidad de su significado.

El corazón (*lev*) aparece citado por lo menos un millar de veces en la Biblia, ya sea como órgano físico del cuerpo, como fuente de la vida afectiva o como asiento de las facultades psíquicas, entre ellas el raciocinio y la voluntad para obrar bien o mal. "Ya conozco tu orgullo y la malicia de tu corazón", le espeta al joven David uno de sus envidiosos hermanos cuando muestra interés en derrotar al gigante Goliat.

En suma, cuando la Biblia informa que algún personaje ama con el alma o con el corazón, quiere indicar que lo hace con todo su ser, todo su entender y toda su voluntad, y ello nada tiene que ver con lo que hoy, influidos por la filosofía griega, llamamos un *amor espiritual*. Entre los antiguos israelitas, este concepto, sencillamente, no existía.

Escenarios del "flechazo"

La Biblia no es nada prolija en la descripción de los *flechazos* amorosos; a lo sumo informa que el varón se prenda de la muchacha al encontrarla hermosa y la pide por esposa, como en el caso de Jacob y Raquel. Lo que hacen en ocasiones los narradores bíblicos, al dar cuenta de ciertos matrimonios trascendentales para el destino de Israel, es enmarcar el primer encuentro de la pareja en deliciosos relatos de ambiente que funcionan literariamente a modo de preludio amoroso.

A su llegada a Padán Aram, Jacob se detuvo junto a un pozo donde estaban reunidos varios pastores y les preguntó si conocían a Labán, su tío. Los pastores contestaron afirmativamente. "¿Está bien?", les preguntó Jacob. Los pastores respondieron: "Sí, bien está; mira, ahí viene Raquel, su hija, con su rebaño". Entonces, prosigue el relato, "llegó Raquel con el rebaño de su padre, pues ella era la pastora. Y cuando vio Jacob a Raquel, hija de Labán, hermano de su madre, se acercó, removió la piedra de sobre la boca del pozo, y abrevó el rebaño de Labán, hermano de su madre. Besó Jacob a Raquel, y alzó la voz llorando. Dio a saber a Raquel que era hermano [en este caso, pariente] de su padre e hijo de Rebeca, y ella corrió a contárselo a su padre. En cuanto oyó Labán lo que de Jacob, hijo de su hermana, le decía, corrió a su encuentro, lo abrazó, lo besó y lo llevó a su casa".

El escenario pastoril con ganado y pozo, donde el recién llegado realiza un alarde de fuerza o galantería delante de su futura esposa, también enmarca el primer contacto de Moisés, el gran caudillo del pueblo israelita, con Séfora. Moisés había huido de Egipto a Madián después de matar a un egipcio que estaba golpeando a un hebreo. Al llegar a tierras madianitas, se sentó en un pozo. Entonces, cuenta la

Biblia, “siete hijas que tenía el sacerdote de Madián vinieron a sacar agua y llenar los canales para abrevar el ganado de su padre. Llegaron unos pastores y las echaron de allí, pero Moisés se levantó, salió en defensa de las jóvenes, y sacando agua abrevó su ganado. De vuelta ellas a la casa de Ragüel, su padre, les preguntó éste: ‘¿Cómo venís hoy tan pronto?’. Ellas respondieron: ‘Es que un egipcio nos ha librado de la mano de los pastores, y aún él mismo se puso a sacar agua y abrevó nuestro ganado’. Dijo él a sus hijas: ‘Y ¿dónde está? ¿Por qué habéis dejado allí a ese hombre? Id a llamarle, para que coma algo’. Moisés accedió a quedarse en casa de aquel hombre, que le dio por mujer a su hija Séfora”.

En un escenario ya no ganadero, sino agrícola, tuvo lugar el primer contacto visual entre el hacendado Boz y la humilde Rut, que el narrador describe del siguiente modo: “Fue, pues, Rut, y se puso a espigar en un campo detrás de los segadores. Y ocurrió casualmente que la parcela del campo pertenecía a Boz, que era de la parentela de Elimélec. Y he aquí que vino éste de Belén para visitar a los segadores, a quienes dijo: ‘Yavé sea con vosotros’; contestándole ellos: ‘Yavé te bendiga’. Y preguntó Boz al criado suyo que estaba al frente de los segadores: ‘¿De quién es esta joven?’; y él le contestó: ‘Es una joven moabita que se ha venido con Noemí de la tierra de Moab’”. Con este brochazo descriptivo, el autor deja claro que Rut ha atrapado la atención de Boz. No se precisa que la protagonista fuera bella o que su futuro marido la amase. Más que una atracción sexual, el relato sugiere que lo que se apodera de Boz es un sentimiento de admiración y piedad hacia la muchacha extranjera porque no ha abandonado a su suegra israelita Noemí pese a que ambas han enviudado y atraviesan una difícil situación económica.

Los narradores bíblicos se las arreglan para crear preámbulos amorosos incluso cuando es un intermediario, y no el futuro esposo, quien mantiene el primer encuentro con la novia. El patriarca Abraham había encargado a un siervo que buscara esposa para su hijo Isaac en la lejana tierra de Aram Naharayim. El siervo estaba en aprietos, pues no sabía cómo atinar en su misión, así que al llegar a las afueras del pueblo pidió ayuda a Dios. Le dijo que se colocaría junto al pozo de agua y pediría agua a las mujeres que se acercasen. Aquella que le contestase: "Bebe tú y daré también de beber a tus camellos", sería la destinada a ser esposa de Isaac. Y sucedió que, antes de que terminara de hablar, apareció una muchacha "muy hermosa y virgen, que no había conocido varón" con un cántaro al hombro y pronunció las palabras mágicas. Cuando los camellos acabaron de beber, el siervo tomó un arillo de oro de medio siclo de peso y dos brazaletes también de oro de diez siclos y preguntó a la muchacha quién era. Ella contestó que era hija de Batuel. El siervo se postró y agradeció a Yavé que lo hubiera conducido directamente a la casa de los parientes de su amo, ya que Batuel era sobrino de Abraham. Aunque Isaac no es quien se encuentra con su futura esposa, al lector se le transmite el mensaje idílico de que ambos estaban predestinados al matrimonio y que en la elección de la muchacha intervino el mismísimo Yavé.

"De bella figura y bello parecer"

Como ya se indicó, el aspecto físico de la hembra desempeñaba un papel importante a la hora de despertar los apetitos glandulares del varón. "La belleza de la mujer alegra el rostro del marido y aumenta en el hombre el deseo de poseerla", proclama con cruda elocuencia el autor del Eclesiástico. Sin embargo, pese a esta y tantas otras exaltaciones de la hermosura femenina, los narradores bíblicos son poco pródigos —y bastante tópicos, todo sea dicho— en la descripción de la belleza.

De Raquel, por la que Jacob trabaja siete largos años que se le antojan días, se dice tan sólo que era una joven "de bella figura y bello parecer". Betsabé, cuya visión en una bañera arrastra al rey David al delito del adulterio, es simplemente "de muy buen parecer". Tamar, que hace enfermar de deseo a su hermano Absalón, es *bella*. Judit, la valerosa viuda que consiguió seducir al general asirio Holofernes, era "de bella figura y buen parecer". Exactamente lo mismo se nos informa de Ester, la heroína que encandiló al emperador persa Asuero y se convirtió en reina del imperio más poderoso del mundo.

Los autores despliegan un esfuerzo descriptivo ligeramente mayor cuando se refieren a la belleza masculina. Sobre Saúl, primer rey de Israel, dicen que era "joven y bueno" y que "de los hombros arriba sobrepasaba a todo el pueblo". Su sucesor David era "pelirrojo, de bellos ojos y buen parecer". Uno de los hijos de David, Absalón, merece todo un derroche narrativo: "En todo Israel no había hombre tan bello como Absalón y tan loado; desde la planta de sus pies hasta su coronilla no había en él defecto; y cuando se rasuraba la cabeza, lo que hacía al final del año pues le pesaba el cabello, el cabello pesaba doscientos siclos según peso real".

Caso aparte es el Cantar de los Cantares, donde la pareja de novios se describe entre sí con extraordinaria minucia. Los cabellos de la novia son "rebañitos de cabras, que ondulantes van por los montes de Galaad". Sus dientes, "un rebaño de ovejas de esquila que suben al lavadero, todas con sus crías mellizas, sin que haya entre ellas estériles". Las curvas de su cadera son "una joya, obra de manos de orfebre". Su ombligo, "un ánfora, en que no falta el vino". Por vientre tiene un "acervo de trigo, rodeado de azucenas". Por pechos, "dos cervatillos, mellizos de gacela". Su cuello es "como torre de marfil". Sus ojos son "dos piscinas de Hesebón, junto a la puerta de Bat Rabbín". Su nariz, "la torre del Líbano, que mira hacia Damasco".

El novio, a su vez, es "fresco y colorado". Su cabeza, "oro puro". Los rizos le caen cual "racimos de dátiles, negros como el cuervo". Tiene ojos "como palomas, posadas al borde de las aguas, que se han bañado en leche y descansan a la orilla del arroyo". Sus mejillas asemejan un "jardín de balsameras, teso de plantas aromáticas". Sus labios son "lirios que destilan exquisita mirra". Por manos tiene "anillos de oro, guarnecidos de piedras de Tarsis", y por piernas, "columnas de alabastro, asentadas sobre basas de oro puro". Su porte es "como el Líbano, gallardo como el cedro".

Se trata de descripciones poéticas y cargadas de simbolismo que difícilmente servirían a un detective para fabricar el retrato robot de un sospechoso. Sin embargo, leídas con atención aportan cierta información acerca del modelo de belleza en ese tiempo: en el hombre, piel blanca, cabellos rizados muy negros, cuerpo esbelto y sólido; en la mujer, cabello largo y revuelto, ojos acuosos, caderas pronunciadas y senos vigorosos.

Vasti, la bella que se rebeló

En la Biblia aparece una mujer muy hermosa de la que apenas se habla, pero que, desde una perspectiva moderna, merecería ocupar un lugar de honor en la galería de luchadoras por la dignificación femenina. Se trata de Vasti, la esposa de Asuero, rey de Persia, que cayó en desgracia por negarse a ser exhibida como un trofeo sexual. Su historia está recogida en el libro de Ester, un delicioso relato de ficción a lo *Mil y una noches* escrito hacia el año 200 a. C.

Asuero, cuyo imperio se extendía desde la India hasta Etiopía, ofreció en cierta ocasión una fiesta opulenta de siete días a todo el pueblo en su palacio de Susa, la capital. Hombres y mujeres celebraban por separado los fastos. El séptimo día, con "el corazón alegre por el vino", el monarca ordenó a sus siete eunucos que trajeran a su presencia a la reina Vasti, con su corona, con el propósito de "mostrar a los pueblos y a los grandes su belleza, pues era de hermosa figura". Vasti se negó a ir. El rey "se encendió en cólera" y consultó a los siete sabios en derecho de su corte sobre qué debía hacer ante semejante afrenta. Uno de ellos, Memucan, pronunció el veredicto: "No es sólo al rey a quien ha ofendido la reina Vasti, sino a todos los príncipes y a todos los pueblos de todas las provincias del rey Asuero, porque lo hecho por la reina llegará a conocimiento de todas las mujeres y será causa de que menosprecien a sus maridos, pues dirán: 'El rey Asuero mandó que llevasen a su presencia a la reina Vasti y ella no fue', y desde hoy las princesas de Persia y de Media que sepan lo que ha hecho la reina se lo dirán a todos los príncipes del rey, y de aquí vendrán muchos desprecios y mucha cólera".

Memucan aconsejó al monarca promulgar un real decreto que prohibiera a la reina Vasti aparecer de nuevo ante su presencia y designara reina a otra "mejor que ella". Con ese mensaje aleccionador se conseguiría que "todas las mujeres honraran a sus maridos, desde el más grande hasta el más pequeño". Asuero aprobó la idea y envió cartas a todas las provincias de su imperio en las que ordenaba que "todo hombre había de ser el amo en su casa". De este modo se sofocó el conato de rebelión de la hermosa Vasti. La tradición hebrea no muestra ningún pesar por el destino de la reina, por una sencilla razón: su desafío propició que el rey Asuero convocara un concurso para tomar una nueva esposa, y la elegida fue la judía Ester, que, gracias a su influencia en la corte persa, pudo salvar más adelante a su pueblo del exterminio.

Miss Persia

El concurso que convirtió a Ester en reina de Persia tiene la singularidad de ser el único certamen de belleza propiamente dicho que recoge la Biblia. La prolijidad del relato arroja de paso alguna información sobre el funcionamiento de los harenes reales. Cuando el rey Asuero se hubo calmado tras el desplante de Vasti, sus servidores le recomendaron que se buscase "jóvenes vírgenes y bellas" en todo el imperio y convirtiera en reina a la que más le agradase. Comisarios designados en todas las provincias del reino se encargarían de reunir a las elegidas en Susa, la capital. Allí permanecerían en la casa de las mujeres del complejo palaciego, bajo la vigilancia de Hegue, eunuco del rey y guarda de las mujeres, que les proporcionaría todo lo necesario para ataviarse hasta que les llegara el turno de desfilar ante el monarca.

Asuero siguió el consejo. Entre las numerosas jóvenes que quedaron bajo el cuidado de Hegue estaba la huérfana Ester, sobrina de un buen hombre llamado Mardoqueo, residente en Susa. La joven agradó al eunuco, que la proveyó de todo lo necesario para su adorno y su subsistencia. Además, le asignó siete doncellas y la albergó junto a éstas en el mejor departamento de la casa de mujeres.

Después de permanecer doce meses encerrada, ungiéndose seis meses con óleo y mirra y otros seis meses con aromas y perfumes, cada candidata era conducida de la casa de las mujeres a la casa del rey, pudiendo llevar con ella cuanto quería. Iba por la tarde; a la mañana siguiente, si no era la elegida, pasaba a la "segunda casa de las mujeres", donde vivían las concubinas bajo la vigilancia del eunuco Saasgaz. Sólo podía volver a presencia del rey "a menos que éste la desease y fuese llamada por su nombre". Cuando llegó el turno a Ester para ir ante el monarca, la muchacha no pidió llevar nada especial con ella. Al verla, Asuero la "amó más que a todas las otras mujeres" y puso sobre su cabeza la corona real que había llevado la rebelde Vasti, tras lo cual ofreció un generoso festín en su honor.

El arte de seducir. Cosméticos y joyas

Al igual que hoy, en tiempos de los antiguos israelitas existían métodos y productos para resaltar la belleza. La Biblia da cuenta de una gran variedad de joyas, piedras preciosas, ungüentos, perfumes y afeites. En la feroz diatriba que dirige en nombre de Dios contra Jerusalén, a la que trata alegóricamente como a una novia infiel, el profeta Ezequiel menciona numerosos ornamentos personales, un ungüento embellecedor y algunos alimentos delicados con los que la mujer seguramente refinaba su figura: "Te ungí con óleo, te vestí de recamado, te calcé de piel de tejón, te ceñí de lino fino y te cubrí de seda. Te atavié con joyas, puse pulseras en tus brazos y collares en tu cuello, arillo en tus narices, zarcillos en tus orejas y espléndida diadema en tu cabeza. Estabas adornada de oro y plata, vestida de lino y seda; comías flor de harina de trigo, miel y aceite; te hiciste cada vez más hermosa y llegaste hasta reinar".

También el profeta Isaías parece hacer un inventario de la moda de su tiempo en su duro alegato contra las pecaminosas hijas de Sión: "Quitará el Señor sus atavíos, ajorcas, redecillas y lunetas, collares, pendientes, brazaletes, cofias, cadenillas, cinturones, pomos de olor y amuletos, anillos, arillos, vestidos preciosos, túnicas, mantos, bolsitos, espejos y velos, tiaras y mantillas".

La Biblia menciona numerosas especias y plantas aromáticas que se utilizaban como perfumes y cosméticos. Destacan la mirra y el áloe. En el harén del rey persa Asuero, como se acaba de ver, las mujeres se ungían doce meses con ambos productos. La mirra, que se extrae de la corteza de un arbusto de Arabia y África central, era una de las plantas aromáticas más apreciadas. El áloe, a su vez, se obtiene de la resina de un árbol que crece en la India y la península Malaya. El novio del Cantar de los Cantares cita algunos perfumes y ungüentos más al describir a su amada como un jardín "de nardos y azafrán, de canela y cinamomo, de todos los árboles aromáticos, de mirra y áloe y de todos los más selectos balsámicos".

En el antiguo Israel, al igual que en todo Oriente, se utilizaban pigmentos como tinte de pelo y pintura de ojos. La fenicia Jezabel, que llegó a ser reina madre de Israel y a la que la Biblia presenta como gran promotora de la prostitución idolátrica, se maquilló en actitud arrogante cuando el guerrero Yehú entró en la ciudad de Jezrael para consumar su golpe de Estado: "Sabiéndolo Jezabel, se pintó los ojos, se peinó y se puso a mirar a una ventana". En su soflama contra el reino de Judá, el profeta Jeremías da una pequeña pista sobre la moda del momento en lo que respecta al delineamiento de los ojos con el maquillaje: "Si te vistes de púrpura, te adornas con joyas de oro, te *rasgas* los ojos con los afeites, en vano te acicalas".

En ocasiones no son necesarios ornamentos ni perfumes, y basta con un movimiento de ojos para atrapar. "No te dejes seducir por sus miradas", dice el autor de Proverbios en sus consejos a los jóvenes para que no caigan en las redes de la mujer casada.

Rut se le mete en la cama a Boz

Las técnicas de seducción se podían aplicar, por ejemplo, para conquistar a un *buen partido*, como lo muestra el libro de Rut. Ya se ha visto cómo Rut, la humilde moabita, había conocido al rico hacendado Boz mientras espigaba en sus campos en procura de sustento. Pues bien, al volver a casa la muchacha informó del encuentro a su suegra, Noemí. Esta, que también era viuda y humilde, exclamó con alegría que el tal Boz era pariente de su difunto marido y, ni corta ni perezosa, concibió un plan para que Rut lo conquistara. "Hija mía, ¿no debo procurarte una posición descansada para que seas feliz?", argumentó a su nuera. A continuación le expuso su estratagema, que no brillaba precisamente por su sutileza: "Boz va a hacer esta noche en su era la limpia de la cebada. Lávate, úngete, vístete y baja a la era. Procura que no te vea hasta que haya acabado de comer y beber; y cuando vaya a acostarse, mira bien dónde se acuesta; y entra después, y levantando la cubierta de sus pies, te acuestas junto a ellos. Él mismo te dirá qué es lo que has de hacer".

La muchacha siguió las instrucciones de su suegra. Boz "comió y bebió y se alegró el corazón" y se acostó junto al montón de cebada, tras lo cual Rut "llegó calladamente, descubrió sus pies y se acostó". A medianoche tuvo el hombre un sobresalto, y al inclinarse se encontró con una mujer acostada a sus pies. "¿Quién eres?", le preguntó. Ella respondió: "Soy Rut, tu sierva; extiende tu manto sobre tu sierva, pues tienes sobre ella el derecho de rescate". Mediante el rescate, un hombre que comprara una propiedad a una parienta sola y sin hijos, debía tomar a ésta por esposa. Boz dejó clara a Rut su disposición de casarse con ella mediante la adquisición de una parcela que Noemí había puesto en venta. "Yo haré por ti cuanto me pidas, pues sabe muy bien todo el pueblo que habita dentro de las puertas de mi ciudad que eres mujer virtuosa", le dijo. Pero le recordó que había un familiar más cercano con derecho prioritario de rescate. A la mañana siguiente, tras pasar la noche acostada a los pies de Boz, la muchacha volvió a casa y le contó a su suegra lo ocurrido. Inasequible al desánimo, Noemí le respondió: "Estate tranquila, hija mía, hasta ver cómo acaba la cosa, pues ese hombre [Boz] no descansará hasta terminar hoy mismo este asunto".

Holofernes pierde la cabeza por Judit

Las artes de seducción pueden utilizarse también con fines heroicos. Por ejemplo, para salvar a todo un pueblo, como se cuenta en el libro de Judit. La historieta se sitúa en los tiempos del emperador Nabucodonosor. El temible general asirio Holofernes había sitiado la ciudad judía de Betulia con el propósito de conquistarla. Los habitantes, desesperados, reclamaron a Ocías y a los demás jefes de la ciudad que se rindieran, porque preferían convertirse en siervos antes que ver morir a espada a sus mujeres y niños. Ocías les pidió cinco días de plazo, con la esperanza de que Dios los ayudase.

En el pueblo vivía una viuda llamada Judit, que era "bella de formas y de muy agraciada presencia", además de rica, ya que su marido le había dejado oro y plata, siervos, ganados y campos. Atribulada por el sufrimiento de sus conciudadanos, convocó a Ocías y los demás jefes y les reprochó que osaran poner a prueba a Dios concediéndole plazos para que acudiese en su auxilio. Seguidamente, les anunció su intención de realizar "una hazaña que se recordará de generación en generación", pero se guardó de revelarles sus planes.

Cuando los visitantes se hubieron marchado, Judit pronunció una larga oración y se dirigió a la casa "donde solía morar los sábados y días festivos". Allí "se despojó de los vestidos de viudez; bañó en agua su cuerpo, se ungió con ungüentos, aderezó los cabellos de su cabeza, púsose encima la mitra, se vistió el traje de fiesta con que se adornaba cuando vivía su marido Manasés, calzóse las sandalias, se puso los brazaletes, ajorcas, anillos, aretes y todas sus joyas, y quedó tan ataviada que seducía los ojos de cuantos hombres la miraban". Además de embellecerse, tomó una bota de vino y un frasco de aceite, y llenó una alforja de panes de cebada, tortas de higo y panes limpios, y lo envolvió todo en paquetes que puso a la espalda de la esclava.

Al llegar Judit a las puertas de la ciudad, Ocías y los ancianos quedaron "sobremanera maravillados de su belleza". La mujer solicitó que le abriesen las puertas y, una vez su petición fue satisfecha, avanzó seguida de su sierva en dirección al valle, hasta que las interceptó una avanzada del ejército asirio. Les dijo que había huido de la ciudad y que pretendía presentarse al general Holofernes para indicarle un camino por donde podía dominar la montaña donde se erigía Betulia sin que muriera ni uno solo de sus hombres. Sus interlocutores la escucharon mientras contemplaban su rostro, que les "pareció maravilloso por su extraordinaria belleza", tras lo cual cien soldados la condujeron al campamento. Mientras esperaba fuera de la tienda de Holofernes, fue rodeada por una multitud. Unos decían a otros, admirados: "¿Quién se atreverá a despreciar a este pueblo que tales mujeres tiene? No se debe dejar ni una sola de éstas, porque las que quedaren serían capaces de seducir a toda la tierra".

Entonces los guardias y servidores de Holofernes la introdujeron en la tienda. El general se hallaba descansando en su lecho "bajo un dosel tejido de púrpura y oro y cuajado de esmeraldas y otras piedras preciosas". Cuando le anunciaron la presencia de la muchacha, salió a la antecámara precedido de lámparas de plata. Al ver a la recién llegada, Holofernes y sus servidores "se quedaron maravillados de la belleza de su rostro". Sin pérdida de tiempo, Judit puso en marcha la segunda parte de su celada. Dijo que Betulia merecía ser castigada por apartarse de Dios y colmó de elogios a su anfitrión. "Eres el mejor de todo el reino, el que más vale por la ciencia y el más admirable por el arte de la guerra", le dijo. Después de ese baño de zalamerías, le pidió autorización para salir por las noches a orar al valle con el fin de conocer el momento elegido por Dios para sacrificar a Betulia y poder comunicárselo a Holofernes.

Al cuarto día, el general ofreció un banquete a sus servidores. El eunuco Bagoas, jefe de toda la intendencia, aconsejó a Holofernes que invitase a Judit al festín. "Sería vergonzoso que despidiéramos a tal mujer sin tener comercio con ella; porque si no la conquistáramos, se iría riendo de nosotros", argumentó. Seguidamente, salió el eunuco de la tienda y fue donde Judit, a la que dijo: "No vacile esta hermosa sierva en venir a mi señor, para ser honrada de él y alegrarse bebiendo vino con nosotros". Al instante, Judit "se atavió de todo su aderezo femenil" y fue a la tienda de Holofernes, donde se sentó a comer sobre unas pieles que le había tendido su sierva. Y prosigue el relato: "El corazón de Holofernes quedó prendado de ella, su alma hervía en deseos de unirse a ella. Desde el día en que la vio estaba aguardando una ocasión para rendirla. Díjole Holofernes: "Bebe y alégrate con nosotros". Y contestó Judit: 'Beberé, señor, que yo tengo este día por el más grande de toda mi vida'. Tomó lo que la sierva le había preparado, y comió en presencia de Holofernes, el cual se alegró sobremanera con ella, y bebió tanto vino cuanto jamás lo había bebido desde el día en que nació".

Cuando se hizo tarde, los siervos de Holofernes salieron aprisa. El eunuco Bagoas cerró por fuera la tienda e hizo retirarse a todos. Dentro de la tienda quedó Judit sola con Holofernes, que estaba "tendido sobre su lecho, todo él bañado en vino". Entonces la mujer se acercó a la columna del cabecero de la cama, descolgó de ella el alfanje de Holofernes, agarró a éste por los cabellos mientras decía: "Dame fuerzas, Dios de Israel, en esta hora", e hiriéndolo dos veces en el cuello le cortó la cabeza. La hermosa heroína huyó a continuación con su sierva, llevando en la alforja la cabeza del malogrado general, y su gran obra de seducción tuvo como consecuencia la derrota del ejército asirio y la salvación del pueblo de Israel. A Holofernes bien se le puede aplicar la afirmación del autor del Eclesiástico: "Por la hermosura de la mujer muchos se extraviaron".

Por ti lo dejo todo

¿Un caso de *amor loco*? La historia le sucedió a David, cuando se encontraba en Judá huyendo de las iras de su suegro, el rey Saúl. David deambulaba de un lado a otro con su pandilla de fieles y se buscaba la vida como bien podía. Su itinerario azaroso lo condujo al desierto de Maón. Allí vivía un hombre muy rico, llamado Nabal, dueño de tres mil ovejas y mil cabras. Era un hombre "muy duro y malo" y tenía una mujer, Abigail, "bien ponderada y de hermosa presencia". David se enteró de que Nabal había ido de esquileo a Carmel, y envió a su encuentro diez mozos para que le pidieran alguna colaboración material, con el argumento de que ellos se habían portado correctamente durante el tiempo que llevaban acampados junto a los pastores de Nabal. Éste no aflojó ni media oveja. "¿Quién es David? Son hoy muchos los siervos que andan huidos de su señor. ¿Voy a tomar yo mi comida y mi bebida y el ganado que he matado para dárselo a gente que no sé de dónde es?", replicó. Informado de la actitud de Nabal, David se ciñó la espada y ordenó a cuatrocientos de sus hombres que hiciesen lo mismo, y salió a castigar al rico rebelde. Uno de los criados de Nabal puso a Abigail al corriente de la situación y le dio buenas referencias del grupo de David. "Nos servían de defensa de noche y de día todo el tiempo que estuvimos con ellos guardando el ganado", le dijo.

Abigail tomó de inmediato doscientos panes, dos odres de vino, cinco carneros ya compuestos, cinco medidas de trigo tostado, cien atados de uvas pasas y doscientas masas de higos secos, e hizo cargar todo sobre asnos. Sin informar de nada a su marido, ordenó a sus criados que fueran por delante, que ella los seguiría. En el camino se encontró con el grupo de hombres armados y, al darse cuenta de la presencia de David, se apeó de su asno y se prosternó ante el joven guerrero. "No haga cuenta mi señor de ese malvado de Nabal, porque es lo que su nombre significa, un necio, y está loco", dijo. A continuación, en un largo monólogo, se deshizo en elogios a David y le pidió que no derramara sangre de inocentes por culpa de la mezquindad de su marido. "¡Bendito Yavé, Dios de Israel, que te ha mandado hoy a mi encuentro! ¡Bendita tu sabiduría y bendita tú, que has impedido hoy derramar sangre y vengarme por mi mano!", exclamó David, y dijo a Abigail que se marchase a su casa.

Abigail encontró a su marido sentado a un gran banquete, completamente ebrio. Al día siguiente, cuando "ya había digerido el vino", le contó cuanto había ocurrido, y el corazón de Nabal "se quedó como muerto, como una piedra". Unos diez días después, el hombre murió. Apenas se enteró de la noticia, David mandó mensajeros a Abigail para proponerle que fuera su mujer. Ella no se hizo de rogar: se levantó, montó sobre su asno y, acompañada por cinco de sus mozas, siguió a los mensajeros y fue la mujer de David.

No hay que ser muy malpensado para sospechar que Abigail provocó deliberadamente la muerte de su marido. Quizá esperó a que estuviera sobrio para darle una noticia que sabía que le iba a producir una fuerte conmoción. El hecho es que, sin cumplir siquiera los días preceptivos de duelo, la mujer lo dejó todo —su casa, sus propiedades, su tierra— y se marchó a una vida de aventuras con el joven y apuesto David. El relato no aclara si Abigail tenía progenie con Nabal. Lo que sí precisa es que no se llevó con ella ningún hijo hacia su nueva vida.

Jesús y María la Magdalena

Pese a que el Nuevo Testamento no contiene ninguna referencia a la vida sexual y amorosa de Jesús, ensayistas y escritores de ficción han intentado durante años encontrar —o inventar— alguna pista que revele el lado carnal del Mesías de los cristianos. Las miradas se suelen dirigir a una mujer: María Magdalena. Era una de las mujeres "curadas de espíritus malignos y de enfermedades" que acompañaban a Jesús y sus doce discípulos por ciudades y aldeas. A María, en concreto, le habían "salido siete demonios", probablemente en una sesión de exorcismo. Nacida en la localidad galilea de Migdal (de ahí su gentilicio *la Magdalena*), fue una de las mujeres que observaron "desde lejos" la crucifixión de Cristo y cuando fue colocado en su tumba. Al tercer día fue con otras dos mujeres a perfumar el cuerpo de Jesús, pero la tumba estaba vacía. Según el Evangelio de Juan, María se quedó junto al monumento, llorando. De pronto vio dos ángeles vestidos de blanco, sentados uno a la cabecera y otro a los pies de donde había estado el cuerpo de Jesús. Le dijeron: "¿Por qué lloras, mujer?". Ella les contestó que se habían llevado a Cristo y no sabía adónde. Se giró entonces hacia atrás y vio a Jesús, pero no lo reconoció. "Mujer, ¿por qué lloras? ¿A quién buscas?", dijo él. María creyó que era el hortelano, y le dijo que, si él se había llevado el cuerpo, le dijera dónde estaba para tomarlo. "¡María!", dijo Jesús. Ella se volvió y le dijo en hebreo: "¡Rabonni!", que significa Maestro.

La primera referencia a una posible relación especial de Jesús con María Magdalena aparece en el Evangelio de Felipe, un texto gnóstico del siglo III que forma parte de los libros apócrifos del Nuevo Testamento. En él se lee: "Había tres que siempre caminaban con el Señor: María, su madre, y su hermana, y Magdalena, la que era llamada su compañera. Su hermana y su madre y su compañera eran cada cual una María". El otro párrafo referido a María Magdalena está incompleto. Los expertos han intentado reconstruirlo de la siguiente manera: "Y la compañera de (el Salvador era) María Magdalena. (Cristo la amaba) más que (todos) los discípulos, (y acostumbraba) besarla (a menudo) en su (¿boca?, ¿mejilla?, ¿cabeza?). El resto de (los discípulos se ofendía por ello y expresaban su desaprobación). Ellos le dijeron: "¿Por qué la quieres a ella más que a todos nosotros?". El Salvador les respondió: "¿Por qué no los quiero como a ella? Cuando un ciego y uno que ve están juntos en la oscuridad, no se diferencian el uno del otro. Cuando llega la luz, el que ve verá la luz, y el ciego permanecerá en la oscuridad".

Este texto es en cualquier caso tímido si se le compara con libros más recientes que especulan con la idea de que Jesús se casó con María Magdalena, e incluso que tuvieron varios hijos. No dejan de ser fantasías, inducidas por la fuerte y enigmática personalidad de Jesús. Y también por la figura de María, a la que el papa Gregorio I, en un sermón pronunciado en el año 591, identificó con María Betania —hermana de Lázaro— y con la prostituta que lavó los pies a Jesús en la casa de un fariseo.

Capítulo III
El más grande misterio de amor

La reina de Saba visita a Salomón

"Llegó a la reina de Saba la fama que para gloria de Yavé tenía Salomón, y vino a probarlo por medio de enigmas. Llegó a Jerusalén con muy numeroso séquito y con camellos cargados de aromas, de oro en gran cantidad y de piedras preciosas. Vino a Salomón y le propuso cuanto quiso proponerle; y a todas sus preguntas respondió Salomón, sin que hubiera nada que el rey no pudiera explicarle.

La reina de Saba, al ver la sabiduría de Salomón, la casa que había edificado, los manjares de su mesa y las habitaciones de sus servidores, sus cometidos y los vestidos que vestían, los de los coperos, y los holocaustos que se ofrecían en la casa de Yavé, fuera de sí, dijo al rey: 'Verdad es cuanto en mi tierra me dijeron de tus cosas y de tu sabiduría. Yo no lo creía antes de venir y haberlo visto con mis propios ojos. Pero cuanto me dijeron no es ni la mitad. Tienes más sabiduría y prosperidad que la fama que a mí me había llegado. Dichosas tus gentes, dichosos tus servidores, que están siempre ante ti y oyen tu sabiduría. Bendito Yavé, tu Dios, que te ha hecho la gracia de ponerte sobre el trono de Israel. Por el amor que Yavé tiene siempre a Israel, te ha hecho su rey para que hagas derecho y justicia'. Dio al rey ciento veinte talentos de oro, una gran cantidad de aromas y de piedras preciosas. No se vieron nunca después tantos aromas como los que la reina de Saba dio al rey Salomón. Las flotas de Hiram, que traían el oro de Ofir, trajeron también de Ofir gran cantidad de madera de sándalo y de piedras preciosas. Con la madera de sándalo hizo el rey las balaustradas de la Casa de Yavé y de la casa del rey, y arpas y salterios para los cantores. No vino después nunca más madera de ésta, y no se ha vuelto a ver hasta hoy. El rey Salomón dio a la reina de Saba todo cuanto ella deseó y le pidió, haciéndole, además, presentes dignos de un rey como Salomón. Después se volvió ella a su tierra con sus servidores".

Este es el primer testimonio conocido sobre la reina de Saba y la visita que hizo a Salomón, el esplendoroso monarca que, según la Biblia, habría ocupado el trono de Israel entre 965 y 930 a. C., aproximadamente. El episodio figura en el libro primero de Reyes y lo recoge después, casi textualmente, el libro segundo de Crónicas. Ningún testimonio extrabíblico de la época certifica la existencia de Salomón y de su enigmática visitante. Sin embargo, el breve relato sobre el encuentro entre ambos personajes ha alimentado durante siglos la imaginación de judíos, cristianos y musulmanes, dando pie a las más exuberantes leyendas. Como no podía ser de otra manera, la magia de la historia franqueó las puertas de Hollywood, que en 1959 presentó al mundo su peculiar versión de los hechos con la superproducción *Salomón y Saba.*

El enigma

¿Quién era la reina de Saba, cuyo nombre de pila ni siquiera se menciona en la Biblia? ¿Existieron ella y su reino maravilloso?

La primera mención del nombre Saba (*Sheba*, en hebreo) aparece en el libro de Génesis, en la lista de los descendientes de Noé. Esa lista es un recurso simbólico del narrador para trazar un mapa de las naciones de la tierra, tal como se veían las cosas en su tiempo. Noé, el fundador de la humanidad tras el Diluvio, engendró tres hijos: Sem (personificación de los pueblos semitas), Jafet (pueblos griegos) y Cam (pueblos africanos). Entre los descendientes de Sem figura un Saba, que sería por consiguiente una nación semita. Pero resulta que hay un Saba anterior, bisnieto de Cam y nieto de Cus (Etiopía), lo cual lo coloca en el espacio geográfico africano. Algunos expertos sostienen que se trata en realidad del mismo Saba y que su identificación sucesiva como africano y semita reflejaría algún avatar en la historia de esa nación; por ejemplo, una mudanza colectiva o la escisión de algunas de sus tribus. Otros creen que son dos Sabas distintos.

El relato sobre la visita de la reina de Saba a Salomón sugiere que los sabeos llegaron a tener un reino importante y próspero, con una economía basada en el comercio de perfumes y piedras preciosas. Algunos libros del Antiguo Testamento que también citan a Saba hacen referencia a esa actividad económica. "Los mercaderes de Saba y de Regma comerciaban contigo, cambiaban tus mercancías por los más exquisitos aromas, piedras preciosas y oro", dice a la ciudad fenicia de Tiro el profeta Ezequiel, en una de sus diatribas. La historiografía más aceptada sitúa el reino de Saba en el suroeste de la península arábiga, en territorio donde hoy queda la república de Yemen. Aunque la reina de Saba habría tenido motivos comerciales o diplomáticos para visitar al poderoso Salomón, la Biblia afirma que fue a verlo por mera curiosidad: para comprobar si era cierto todo lo que se contaba sobre su portentosa inteligencia. Según el texto bíblico, la sabiduría de Salomón "sobrepasaba la de todos los hijos de Oriente y la sabiduría toda de Egipto". El monarca "profirió tres mil parábolas y sus cantos fueron mil cinco; disertó acerca de los árboles, desde el cedro del Líbano hasta el hisopo que nace en el muro, y acerca de los animales, de las aves, de los reptiles y los peces. De todos los pueblos venían para oír la sabiduría de Salomón, de parte de todos los reyes de la tierra, a los que había llegado la fama de su sabiduría".

Como era de esperar, la reina de Saba quedó impresionada con tan versátil anfitrión, y así se lo expresó después de admirar el deslumbrante boato de su corte y poner a prueba su inteligencia por medio de enigmas. La Biblia no nos cuenta cuáles fueron esos enigmas, ni cómo los resolvió Salomón, ni cuántos días permaneció la reina de Saba en Jerusalén. Sólo informa que, antes que la visitante regresara a su país con su servidumbre, el monarca israelita le dio "todo cuanto ella deseó y le pidió".

¿Qué pidió la reina de Saba? ¿Hubo *algo más* durante su visita al rey de Israel que un interrogatorio para comprobar si eran ciertas todas las historias que se contaban sobre su legendaria sabiduría?

La teoría etíope

Según la tradición etíope, hubo, en efecto, algo más: el rey Salomón y la reina de Saba mantuvieron un idilio, y de ese romance nació Menelik I, del que se consideraba descendiente la dinastía imperial del país africano. En virtud de ese supuesto parentesco con el rey Salomón, los emperadores etíopes ostentaban entre sus títulos el de "León vencedor, de la tribu de Judá" y llevaban por emblema una estrella de seis puntas similar a la estrella de David, símbolo del pueblo judío. El último emperador en utilizar el título fue Halie Selassie, también llamado Ras Tafari, quien después de cuatro décadas en el poder fue depuesto en 1974 por una rebelión militar.

La dinastía imperial etíope se declaró descendiente de la reina de Saba con el argumento de que el verdadero Saba de la Biblia, o al menos el más antiguo, era el nieto de Cus, personificación de Etiopía. Una de las obras literarias más populares de este país es el *Kebra Nagast* (*Gloria de los Reyes*), escrito en el siglo XIV en lengua ge'ez, cuyos protagonistas son Salomón, la reina de Saba —que recibe el nombre de Makeda— y Menelik, el vástago, llamado también *hijo del sabio.* En la iconografía etíope, como es de suponer, la reina de Saba tiene la piel negra.

En fin, ¿era africana o semita la famosa reina? ¿Tenía la piel de color ébano o aceituna? Los interrogantes permanecen abiertos. Mientras se resuelve el misterio, dejemos volar la imaginación con el relato de una reina enigmática que cierto día arribó a Jerusalén con una caravana de camellos cargada de oro y piedras preciosas para conocer al sabio, poderoso y —todo hay que decirlo— mujeriego rey Salomón.

Capítulo IV
El matrimonio

Un contrato civil

Pese a que la unión entre el hombre y la mujer aparece al comienzo de la Biblia envuelta en un halo de divinidad, el matrimonio estaba al margen de cualquier intervención sacerdotal o liturgia religiosa. Para los antiguos israelitas, así como para los pueblos de su entorno, el matrimonio era un asunto estrictamente civil. Un contrato privado entre familias. Un pacto (*brit*, en hebreo). Dicho contrato se negociaba por lo regular en la casa de la pretendida y consistía en el pago del *mohar*, o precio de venta, por la parte del pretendiente al representante de la novia. Éste, a su vez, aportaba a la muchacha una dote para su nueva vida conyugal.

En virtud de una antiquísima costumbre patriarcal, la negociación del matrimonio correspondía al padre. Si por alguna razón no podía estar presente en la negociación, enviaba en su nombre a un representante. Fue lo que hizo el anciano patriarca Abraham cuando encargó a su siervo de confianza que fuera a la lejana tierra de Aram Naharáyim a buscar entre sus parientes allí establecidos una esposa para su hijo Isaac. En circunstancias extremas, el padre dejaba directamente la negociación en manos de su hijo. "Vete a Padán Aram, a casa de Betuel, el padre de tu madre, y toma allí mujer de entre las hijas de Labán, hermano de tu madre", dijo Isaac, ya viejo, a su hijo Jacob, que debía marcharse por fuerza mayor, ya que su hermano Esaú amenazaba con asesinarlo por haberle robado la primogenitura.

Si el padre había muerto o concurría algún otro motivo excepcional (por ejemplo, que tuviera reducidas sus facultades mentales), las negociaciones las dirigía el nuevo jefe de la familia o un consejo familiar. Cuando Rebeca anuncia la llegada del siervo de Abraham, es el hermano de la joven, Labán, quien lleva en todo momento la voz cantante en las conversaciones, unas veces en solitario y otras a dúo con su madre o con su *casa.* Cuando el siervo pide la mano de Rebeca para el hijo de su amo, "Labán y su casa" dan su consentimiento.

Lo normal era que el matrimonio lo pactasen hombres, pero una mujer podía intervenir en la negociación si se trataba de una madre abandonada o una viuda sin parientes varones que pudieran actuar en su nombre. Agar, la esclava egipcia que engendró con el patriarca Abraham a Ismael, fue expulsada del hogar debido a los celos de Sara, la esposa de su amo. Tras un largo y penoso periplo, se estableció con su hijo en el desierto de Parán y "tomó para él mujer de la tierra de Egipto".

El matrimonio era la situación deseable para el hombre y la mujer. Por su importancia como instrumento de organización social y política, el matrimonio estaba sujeto a numerosas y severas normas relativas al adulterio, el incesto, la poligamia o la unión con extranjeros, como se verá en diferentes capítulos de este libro. La finalidad primordial del matrimonio era la procreación. Una descendencia numerosa se interpretaba como una señal de fortuna. El celibato prolongado, al igual que la esterilidad, se consideraba una desgracia. Sólo en una época tardía empezó a hablarse de las viudas que se abstenían de contraer nuevas nupcias. El libro de Judit, escrito hacia el siglo II a. C., cuenta de la protagonista, una viuda bella y rica: "Muchos la pretendieron; pero ningún varón la conoció en todos los días de su vida desde el día que murió Manasés, su marido".

En los albores del cristianismo, la visión favorable al celibato toma fuerza de la mano de Pablo. "Bueno es al hombre no tocar mujer", predica. El único sentido que ve al matrimonio es evitar la fornicación. "A los casados y a las viudas les digo que es mejor permanecer como yo. Pero si no pueden guardar continencia, cásense, que mejor es casarse que abrasarse", dice.

Que todo quede en familia

Por razones primordialmente económicas —evitar la dispersión de patrimonios y preservar la cohesión del grupo—, el matrimonio se solía concertar dentro del mismo clan, la misma tribu o, como mucho, el mismo pueblo. Las uniones con personas de otras naciones fueron objeto de progresivas trabas o prohibiciones, hasta que todas quedaron formalmente proscritas en el siglo V a. C., tras el regreso del exilio babilonio.

En la época patriarcal, cuando la vida se constreñía al estrecho círculo del clan familiar, eran comunes las uniones conyugales entre primos hermanos e incluso entre medios hermanos, relación ésta que más tarde sería prohibida por los legisladores. Esas uniones endogámicas provocaban enredos tales como que una persona acabara por ser al mismo tiempo tío, primo y suegro de otra. El patriarca Abraham aparece casado con una hermana por parte de padre, Sara, antes de que emprendieran la larga travesía desde su Ur natal para establecerse en Canaán. Isaac, hijo de la pareja, se casó con Rebeca, nieta de un hermano de Abraham. Jacob, hijo de Isaac y Rebeca, se unió más tarde con Lía y Raquel, hijas de Labán, hermano de su madre. Jacob era, por tanto, sobrino, yerno y primo de Labán.

Tras la conquista de Canaán se consolidó entre los israelitas la organización tribal, y entonces el marco para los contratos matrimoniales se amplió a la tribu, entidad que agrupaba a diferentes clanes. La unión conyugal entre israelitas de distintas tribus no se censuraba, pero tampoco se alentaba, y fue prohibida por ley en un caso excepcional. La Biblia hace remontar el episodio a los tiempos del Éxodo (siglo XIII a. C.). Cierto día, los jefes de familia del clan de Galaad, perteneciente a la tribu de Manasés, acudieron ante Moisés para plantearle el siguiente problema: uno de los miembros del clan, Salfad, había muerto sin dejar hijos varones. Entre los israelitas, el varón permanecía vinculado para siempre a su clan paterno y gozaba en exclusiva del derecho de heredar, lo que blindaba al grupo contra posibles fugas de bienes por las uniones conyugales. Pero el finado Salfad sólo había dejado hijas, cinco para más señas, lo que implicaba un serio peligro que los jefes expusieron en toda su crudeza capitalista: si las muchachas se casaban con miembros de otras tribus, se llevarían con ellas la herencia al nuevo hogar, con lo que las finanzas de su tribu de origen se verían mermadas. Moisés resolvió el contencioso con una sentencia que amarró las herencias a las tribus. Las mujeres herederas sólo podrían casarse en adelante con alguien de su grupo tribal; en compensación se les confirió el derecho de elegir al cónyuge. Majla, Tersa, Jegla, Melca y Noa, las hijas de Salfad, acataron la sentencia y se casaron con primos pertenecientes a otros clanes de la tribu. Una limitación mucho más severa le fue impuesta a la viuda sin hijos, como se apuntó en el apartado anterior y se detalla más adelante.

¿Existía el matrimonio por amor?

En una sociedad de dominio masculino como la israelita, el varón estaba en mejores condiciones que la mujer para que sus preferencias fuesen tenidas en cuenta en los acuerdos matrimoniales. "He visto en Timna una mujer de las hijas de los filisteos; id a tomármela por mujer", insta Sansón a sus progenitores. "Tómame esa joven por mujer", dice a su padre Siquem, que se ha enamorado de Dina, hija del patriarca Jacob, tras violarla. La Biblia nos informa que Jacob estaba también enamorado al pedir a la bella Raquel por esposa. Un joven díscolo o de fuerte temperamento hacía valer su elección incluso contra la voluntad de sus padres. A los progenitores de Sansón no les gustaba la idea de que su hijo se casase con una chica del odiado pueblo filisteo. El forzudo héroe insistió a su padre: "Tómame ésa, pues me gusta". Como no obtuviera respuesta, fue a Timna y negoció personalmente su matrimonio. También desafió la autoridad paterna Esaú, hermano de Jacob, al tomar por esposas a dos cananeas, Judit y Besemat. Según la Biblia, las muchachas fueron "una amarga pesadumbre" para Isaac y Rebeca, padres del novio.

Al mismo tiempo, cabe imaginar que más de un padre se ocupara personalmente de la elección de una esposa para su hijo, sobre todo en los casos de un padre autoritario o un hijo pusilánime. El patriarca Abraham encargó a un siervo que buscara esposa para su hijo Isaac entre su parentela en la lejana Aram Naharayim por temor a que el muchacho se uniera a una cananea. "Y si la mujer no quiere venir conmigo a esta tierra, ¿habré de llevar allá a tu hijo?", le preguntó el siervo. Abraham le respondió que "de ninguna manera" se marcharía su hijo y que, si la chica no aceptaba venir, diera por concluida la misión. En ningún momento aparece Isaac opinando sobre una decisión crucial para su vida.

Las diferentes actitudes ante la elección de la novia se pueden sintetizar en el caso de Judá y su hijo primogénito. El primero resolvió así su matrimonio: "Sucedió por entonces que bajó Judá, apartándose de sus hermanos, y llegó hasta un adulamita de nombre Jira. Vio allí una cananea llamada Sué, y la tomó por mujer y entró a ella, que concibió y parió un hijo, al que llamó Er". Unas líneas más adelante se cuenta: "Tomó Judá para Er, su primogénito, una mujer llamada Tamar". O sea, el padre se casó con quien le vino en gana, pero no dio la misma libertad a su hijo.

En la concertación matrimonial, el consentimiento de la pretendida era innecesario. "Ahí tienes a Rebeca; tómala y vete, y sea la mujer del hijo de tu señor", responde Labán al siervo de Abraham cuando éste pide a la muchacha como esposa para Isaac. Sólo tras cerrarse el acuerdo, a Rebeca se le consultó si deseaba marcharse de inmediato a la tierra de su nuevo marido o si prefería permanecer unos días más con su familia. Seguramente a otras chicas ni siquiera se les daba esta opción de pronunciarse.

El papel pasivo de la mujer no implicaba necesariamente un desenlace indeseable para ella. Es posible que a más de una chica le gustase de antemano su pretendiente e incluso que se lo hubiese hecho saber de alguna manera; hay que tener en cuenta que las jóvenes israelitas no permanecían encerradas en sus casas y tenían por tanto un margen relativamente amplio de acción para relacionarse con jóvenes del sexo contrario. Cabe suponer también que en algunos hogares bien avenidos el jefe de la familia escuchaba las opiniones de su hija. Sin embargo, conjeturas aparte, es innegable que la mujer se hallaba en una posición de inferioridad frente al varón. Muchas chicas se habrán casado en contra de su voluntad con hombres que les duplicaban la edad o que les inspiraban repugnancia, pero que encandilaban al padre ofreciéndole un tentador *mohar* o prometiéndole una buena vida para su hija. Resulta fácil imaginar a padres deshaciéndose de sus hijas ante la primera oferta matrimonial, ya sea porque mantuvieran con ellas una mala relación o por temor a que se quedasen solteronas, como tal vez sucedió a Labán cuando entregó con engaño a Jacob a su hija mayor, Lía. Una muchacha podía ser ofrecida públicamente por su padre como recompensa a cambio de una hazaña. Saúl, primer rey de Israel, prometió su hija Merab a quien lograse vencer al gigante filisteo Goliat. Algo parecido hizo Caleb, jefe de clan en la época de los jueces, que ofreció su hija Aksá a quien consiguiera derrotar a la ciudad de Quiryat Séfer.

La viuda y sus cuñados

Cuando varios hermanos vivían de los mismos bienes —porque el padre no había repartido la herencia o por otros motivos—, si uno de ellos estaba casado y moría sin haber tenido hijos, alguno de sus hermanos, en virtud de un orden decreciente de edad, debía casarse con la viuda para asegurarle descendencia. El primogénito de esa unión era considerado hijo del difunto y pasaba a llamarse como él con el fin de que su nombre "no se borrase de Israel". Esta modalidad de matrimonio, aún existente en algunas comunidades orientales, se denominaba *levirato.* El nombre procede de la palabra latina *levir,* traducción de la hebrea *yabam,* que significa cuñado.

El levirato era una excepción de la ley que prohibía la unión conyugal entre un hombre y su cuñada. Más allá de honrar al difunto, el levirato pretendía asegurar la continuidad de sus bienes en el marco de su familia y preservar a esta como entidad independiente dentro del clan. Cuando el hermano del muerto se negaba a casarse con la viuda, esta podía denunciar el caso ante los ancianos, mediante un procedimiento establecido por la ley deuteronómica. La mujer decía: "Mi cuñado se niega a suscitar en Israel el nombre de su hermano; no quiere cumplir su obligación de cuñado, tomándome por mujer". Los ancianos llamaban entonces al hombre para intentar convencerlo. Si éste mantenía su negativa, la viuda se acercaba a él, le quitaba la sandalia del pie, le escupía en la cara y manifestaba: "Esto se hace con el hombre que no sostiene la casa de su hermano". A partir de ese momento, el hombre arrastraba como una vergüenza el calificativo de *privado del calzado.* El acto simbólico de quitar la sandalia se inspiraba en una vieja costumbre según la cual el comprador de una tierra marcaba la propiedad colocando su huella en el suelo; descalzar al cuñado remiso era una forma de decir que había perdido su derecho de adquisición sobre la viuda.

El panorama para que una viuda sin hijos rehiciese su vida junto a otro hombre era, pues, limitado. Por eso, cuando la israelita Noemí y sus nueras Rut y Orfa, viudas las tres, abandonaban Moab con destino a Israel, la primera intentó persuadir a las otras de que se quedasen en su tierra, donde tal vez tendrían más posibilidades de casarse de nuevo. "¿Para qué habéis de venir conmigo? —les dijo—. ¿Tengo por ventura en mi seno hijos que puedan ser maridos vuestros? Volveos, hijas mías; andad. Soy demasiado vieja para volver a casarme. Y aunque me quedara todavía esperanza y esta misma noche estuviera casada y tuviera hijos, ¿ibais a esperar vosotras hasta que fueran grandes? ¿Ibais por eso a dejar de volver a casaros?".

Judá y Tamar

El levirato que con más detalle cuenta la Biblia degeneró en un lío monumental. Judá, uno de los hijos del patriarca

Jacob, tenía tres hijos. En un momento dado tomó por esposa para su primogénito, Er, a una muchacha llamada Tamar. Pero Er, según el relato, fue "malo a los ojos de Yavé" y murió. Judá le dijo entonces a su segundo hijo, Onán: "Entra a la mujer de tu hermano, y tómala, como cuñado que eres, para suscitar prole a tu hermano". Pero Onán, "sabiendo que la prole no sería suya, cuando entraba a la mujer de su hermano se derramaba en tierra para no dar prole a su hermano", por lo que Dios lo hizo morir. La conducta de Onán pone de manifiesto que, incluso tomando por mujer a la viuda del hermano, cabía la posibilidad de esquivar el levirato. A Judá le quedaba aún un hijo, Sela, para entregarlo a Tamar. Pero, temiendo que corriera la suerte de los otros dos, dijo a su nuera que se marchara "como viuda" a su casa paterna hasta que Sela creciese.

Mucho tiempo después enviudó Judá. Tras guardar el duelo preceptivo, subió con un amigo al esquileo de su ganado en la localidad de Tamna. Informada de ello, y "viendo que Sela ya era mayor y no le había sido dada por mujer", Tamar levantó su luto por Onán, se cubrió con un velo y se sentó a la vera del camino hacia Tamna. Judá la tomó por meretriz y le dijo: "Déjame entrar a ti". "¿Qué vas a darme por entrar a mí?", le dijo la mujer. Judá le ofreció un cabrito de su rebaño, a lo que su interlocutora le exigió que le dejase una prenda hasta la concreción del pago. Él le preguntó qué prenda deseaba. "Tu sello, el cordón de que cuelga y el báculo que llevas en la mano", respondió la mujer. Entonces, prosigue el relato, "él se los dio y entró a ella, que concibió de él". Judá mandó después el cabrito por medio de su amigo, pero éste no encontró ni a la mujer ni a nadie que le diera referencia de prostituta alguna en la zona.

Unos tres meses después, Judá recibió la noticia de que Tamar se había "prostituido y quedado encinta a causa de sus prostituciones". "Sacadla y quemadla", ordenó. Pero la mujer, cuando era conducida a la hoguera, mandó decir a su suegro: "Del hombre del que son estas cosas estoy encinta. Mira a ver de quién son ese anillo, ese cordón y ese báculo". Judá reconoció los objetos que había dejado en prenda y ordenó detener la ejecución. "Mejor que yo es ella, pues no se la he dado a Sela, mi hijo", dijo. El narrador recalca que Judá no volvió a *conocer* a su nuera; es decir, no se acostó más con ella. Tamar dio a luz dos gemelos: Fares y Zerah.

Del relato se desprende que el delito que se imputaba a Tamar era el de adulterio, porque había fornicado pese a que se debía a su cuñado Sela. Sin embargo, en su ansiedad reproductiva, se cuidó de no acostarse con cualquier extraño y recurrió a Judá, una decisión que, además de representar una venganza contra el causante de su infortunio, podría indicar que el suegro también cualificaba para el levirato y que la muchacha había buscado cierta cobertura legal a su acción. Sea como fuere, al no cumplirse estrictamente el levirato mediante el matrimonio con Sela, los hijos de Tamar no se adjudicaron a su difunto marido.

Tamar ha quedado en la literatura bíblica como una mujer ejemplar que hizo valer su derecho a tener descendencia por encima de cualquier obstáculo. Sin embargo, el desenlace de la historia no es nada confortante para ella, pues quedó en una especie de limbo personal y con dos hijos a cuestas. Es posible que Judá se ocupara de alguna manera de los gemelos pese a la afirmación de que nunca más se acercó a Tamar: en las genealogías figura como el padre de las criaturas, y Fares, el primogénito, aparece como antepasado del rey David, la figura más grande de la historia de Israel junto con Moisés y los tres patriarcas.

El rescate de Rut

Rut no tuvo que recurrir a un plan tan rocambolesco y arriesgado como el de Tamar para tener descendencia, pese a que sus perspectivas conyugales eran también sombrías por carecer de cuñados que la tomasen por esposa. Aconsejada por su avispada suegra Noemí, la moabita encontró una vía alternativa para casarse de nuevo: el rescate.

En Israel, todos los adultos varones estaban cualificados para actuar como *goel* (redentor) de cualquier miembro de su clan. Ello implicaba brindar protección al necesitado, pagar por su libertad si era esclavo, salvaguardar sus bienes si corrían peligro y, muy en especial, ejercer el derecho preferencial de tanteo cuando un pariente en apuros ponía en venta una propiedad. Si el levirato tenía por objeto preservar los bienes del difunto dentro de su familia como estructura independiente, el rescate funcionaba como red de seguridad para evitar que en ningún caso los bienes salieran del clan.

Al enterarse de que su nuera Rut había caído en gracia al hacendado Boz, Noemí la aleccionó para que lo sedujera, como ya vimos en un capítulo anterior. ¿Por qué tomó Noemí esa decisión? Su razonamiento era muy sencillo: Boz era pariente de su difunto marido, Elimélec, y por tanto ostentaba la condición de *goel*; Noemí había puesto en venta una porción de campo de su difunto esposo, acuciada por la necesidad; si Boz ejercía su derecho de compra de la parcela, la ley lo obligaba a tomar por esposa a la titular de la propiedad; y como Noemí era vieja, tomaría a Rut. El único problema es que Noemí tenía un pariente más cercano y por tanto con más derecho para ejercer el rescate. Boz no se desanimó. Subió a la puerta de la ciudad y esperó pacientemente a que pasara ese pariente. Al verlo, lo invitó a sentarse junto a él y, acto seguido, reunió a diez ancianos de la ciudad. Dijo entonces Boz al que tenía el derecho preferencial: "Noemí, que ha vuelto de la tierra de Moab, vende la porción de campo que fue de nuestro hermano Elimélec. He querido darte cuenta de ello para decirte: 'Cómprala, si quieres, en presencia de los ancianos de la ciudad; si quieres usar tu derecho de rescate, usa; y si no quieres, manifiéstalo para que yo lo sepa, pues no hay nadie que antes que tú tenga ese derecho; después de ti estoy yo'". "Yo ejerceré el derecho de rescate", dijo el otro. Pero Boz contraatacó: "Al comprar a Noemí el campo, tendrás que recibir a Rut, la moabita, por mujer, como mujer del difunto, para hacer vivir el nombre del difunto en su heredad".

El rival de Boz cedió.

"Así no puedo comprarlo, por temor de perjudicar a mis herederos. Cómpralo tú, pues yo no puedo hacerlo", dijo. En señal de renuncia se quitó simbólicamente la sandalia y la entregó a Boz. Este ritual, como vimos antes, también era utilizado cuando un cuñado rehusaba cumplir su obligación de levirato y está relacionado con la confirmación del derecho sobre la propiedad. Cerrada la transacción, Boz tomó a Rut y *entró a ella*, y tuvieron un hijo. Cuenta a continuación el narrador que Noemí "tomó el niño, se lo puso en el regazo y le sirvió de aya", y las vecinas dijeron: "A Noemí le ha nacido un hijo". No se trata de una incongruencia: al menos simbólicamente, el niño se consideraba hijo de Noemí por ser esta la viuda del propietario del terreno rescatado. El recién nacido recibió por nombre Obed, y en las genealogías figura como descendiente de Fares, el hijo mayor de Judá y Tamar, y abuelo del rey David.

Matrimonio a la fuerza

En el antiguo Israel, el hombre que violaba a una soltera virgen no purgaba su acción con el destierro ni, mucho menos, con la muerte: la ley lo obligaba a pagar cincuenta siclos de plata al padre de su víctima y a tomar a ésta por esposa, sin derecho a repudiarla en toda la vida "por haberla humillado". A su vez, el hombre que *persuadiera* a una soltera virgen de acostarse con él también quedaba obligado a tomarla por esposa, en este caso mediante el pago del *mohar* propio de las transacciones matrimoniales; si el padre de la muchacha rehusaba entregársela, el seductor debía pagarle en cualquier caso el "*mohar* de las vírgenes", probablemente un precio de referencia cuyo monto no precisa la Biblia. La ley no aclara si el padre de la violada tenía también la opción de no entregar a su hija en matrimonio.

Algunos expertos sostienen que la legislación sobre la violación, por aberrante que parezca a una mente moderna, era *progresista* para su época, ya que pretendía dirigir a los potenciales agresores el mensaje disuasorio de que su acción les acarrearía una carga para toda la vida, además de una multa onerosa. Sin embargo, por más argumentos que se den, no deja de repugnar a la inteligencia que el castigo previsto para el violador fuera la obligación de tomar por esposa a su víctima.

Resulta difícil saber cómo funcionaban las leyes en la práctica. La Biblia no da cuenta de ningún varón que sedujera a una mujer para acostarse con ella. Sí se relatan algunas violaciones: la de Tamar por su medio hermano Amnón, la de Dina por Siquem o la violación masiva de la concubina de un levita por los habitantes de la ciudad de Gueba. Cada caso siguió un desarrollo distinto, aunque todos tuvieron el mismo desenlace: la venganza contra los violadores. En el primer caso, el agresor despreció a su víctima y luego fue asesinado por el hermano de ella. En el segundo, el agresor pidió casarse con su víctima porque la *amaba*; el padre de la muchacha aceptó el trato y se celebró el matrimonio, pero más tarde dos hermanos de la joven asesinaron al violador y a todo su pueblo. En el tercer caso, la concubina murió a raíz de la violación colectiva, y el incidente desató una guerra punitiva de la alianza de Israel contra la tribu de Benjamín, a la que pertenecía el pueblo de los criminales.

La cautiva de guerra

En tiempos de guerra —casi todos, a juzgar por la Biblia— era habitual que los vencedores se sintieran atraídos por mujeres del bando de los vencidos y, aprovechándose de su posición de superioridad, las tomasen como botín de guerra. El legislador consideró necesario regular la unión conyugal con las cautivas de contiendas bélicas con el fin de proporcionarles a éstas ciertos derechos y algo de dignidad, por llamarlos de algún modo.

La norma establece que, cuando un hombre lleve a su casa a una cautiva con el propósito de tomarla por mujer, le dará un mes para que *llore a su padre y a su madre.* Sólo después podrá *entrar a ella* y convertirse en su marido. Si más adelante la deja de querer, deberá permitir que se marche en libertad sin ningún tipo de cortapisa. "No la venderás por dinero ni la maltratarás, pues tú la humillaste", recalca la ley.

La gran redada

El libro de Jueces narra el caso extraordinario de una redada masiva de vírgenes para abastecer a una tribu que había quedado sin mujeres a causa de una guerra. Tal como se contó dos apartados atrás, la violación con resultado de muerte de la concubina de un levita desató un enfrentamiento feroz entre la coalición de Israel y la tribu de Benjamín. Cuatrocientos mil israelitas en armas se congregaron en un lugar llamado Masfá para encomendarse a Yavé y juraron solemnemente que ninguno de ellos daría su hija por mujer a un benjaminita tras la contienda. Benjamín fue derrotado y quedó al borde de la extinción. Veinticinco mil de sus hombres perecieron en el combate. "Los hijos de Israel pasaron a filo de espada las ciudades, hombres y ganado y todo cuanto hallaron, e incendiaron cuantas ciudades encontraron", cuenta la Biblia.

Al término de la guerra, los israelitas se compadecieron de la tribu vencida. "¿Qué haremos con ellos para procurar mujeres a los que quedan?", se dijeron. Como habían jurado no dar sus hijas a los benjaminitas, se preguntaron quién de entre las tribus no había estado en la asamblea de Masfá. Tras un recuento, el dedo acusador apuntó a la ciudad de Jabes Galad. Los israelitas enviaron contra ella doce mil de sus hombres más valientes con el encargo de pasar a filo de espada a todos sus habitantes, excepto a las "jóvenes vírgenes que no habían conocido varón". Encontraron cuatrocientas y se las entregaron a los benjaminitas. Pero no fue suficiente. Los israelitas tuvieron entonces otra idea para que la tribu se repoblara. Sabedores de que la ciudad de Silo se disponía a celebrar su fiesta anual para Yavé, ordenaron a los benjaminitas: "Id y poneos en emboscada en las viñas. Estad atentos, y cuando veáis salir a las hijas de Silo para danzar en coro, salís vosotros de las viñas y os lleváis cada uno a una de ellas para mujer, y os volvéis a Benjamín". Con las vírgenes capturadas en Jabes Galad y las secuestradas en Silo, los benjaminitas levantaron de nuevo su tasa demográfica.

Capítulo V
Desposorio y boda

El precio de la novia

La Biblia ofrece muy poca información sobre el monto del *mohar* que pagaba la parte del pretendiente al responsable de la novia. El pago se efectuaba por lo regular en dinero metálico o en especie, y es presumible que su cuantía dependiera en cierta medida de la valoración que el padre de la novia hiciera de la muchacha, ya fuera por su belleza, su posición social o sus habilidades. La ley del Deuteronomio estipula que el hombre que viole a una mujer deberá pagar por ella cincuenta siclos (unos 800 gramos) de plata. El profeta Oseas, que predicó hacia el año 750 a. C., aparece adquiriendo una prostituta por "quince siclos [unos 240 gramos] de plata y jomer y medio [547 litros, aproximadamente] de cebada". Las partes podían acordar también como *mohar* la prestación de un servicio, como en el caso de Jacob, que se ofreció a trabajar durante siete años a Labán por su hija Raquel. El pago se podía realizar incluso mediante un logro guerrero: el rey Saúl pidió a David por su hija Micol cien prepucios de filisteos.

La dote: desde una sierva hasta una ciudad

Aparte de la negociación del *mohar*, el padre de la novia daba a su hija una dote como ayuda económica al matrimonio. La dote también se podía aportar en dinero o en especie, incluidas las humanas. Cuando las hermanas Lía y Raquel se casaron con Jacob, su padre les entregó sendas esclavas. Mucho más generoso se mostró Ragüel al casarse su hija Sara con Tobías: les dio en el acto la mitad de sus bienes, y les dijo que recibirían la otra mitad a la muerte suya y de su mujer. En el caso de matrimonios reales, la dote podía llegar a ser una ciudad entera, aunque para ello hiciese falta *limpiarla* previamente: el faraón de Egipto se apoderó de la ciudad de Guézer, la incendió y exterminó a los cananeos que la habitaban, tras lo cual la dio en dote a su hija cuando se casó con el rey Salomón.

Es posible que el monto de la dote debiera guardar alguna proporción con el del *mohar.* Esto explicaría el reclamo de Raquel y Lía cuando, antes de abandonar su tierra, manifiestan: "¿Tenemos acaso nosotras parte o herencia en la casa de nuestro padre? ¿No nos ha tratado como extrañas, vendiéndonos y comiéndose nuestro precio (*mohar*)?". Seguramente la dote de dos esclavas que les concedió Labán les resultaba irrisoria en comparación con la fortuna que éste acumuló durante los catorce años de trabajo que le pagó Jacob por sus hijas.

Una persona con capacidad persuasiva y buena información podía conseguir un aumento de la dote. Después de recibir a Aksá por esposa como trofeo por su victoria sobre Quiryat-Séfer, el guerrero Otniel quedó inconforme con la dote aportada por su suegro Caleb. Ni corto ni perezoso, indujo a su flamante esposa a pedir más. Aksá dijo a su padre: "Hazme un don; pues que me has heredado en tierra de secano, dame también tierra de regadío". Caleb cedió y entregó a su hija "el *gulot* [fuente] superior y el inferior", un obsequio nada desdeñable si se tiene en cuenta el extraordinario valor que tenían los yacimientos acuíferos en la zona desértica del Negueb.

"Señora del señor"

Cerrada la negociación matrimonial, el padre entregaba la desposada al flamante marido o a su representante. Tal vez pronunciara unas palabras solemnes y alguna bendición. "Tómala y llévala a tu padre", dice Ragüel a Tobías al darle a Sara, tras lo cual desea a la pareja que Dios la colme de felicidades. "Tómala y vete, y sea la mujer del hijo de tu señor", dice Labán al siervo de Abraham tras el acuerdo sobre Rebeca. El desposorio se celebraba con un convite íntimo, en el que los congregados comían, bebían y, en ocasiones, se intercambiaban regalos. Tras culminar con éxito su misión, el siervo de Abraham se postró ante Yavé y "sacando objetos de plata y oro y vestidos, se los dio a Rebeca, e hizo también presentes a su hermano y a su madre. Pusiéronse luego a comer y a beber, él y los que con él venían, y pasaron la noche". En la casa de Ragüel, como se vio antes, se celebró una comida familiar.

Con el desposorio la pareja se consideraba casada a todos los efectos. El hombre pasaba a ser *ba'al* (dueño) de la esposa y quedaba obligado desde ese momento a mantenerla y brindarle protección. La mujer se convertía en *be'ulat ba'al*, que podría traducirse como *perteneciente al dueño*, o en *eshet ish*, *señora del señor*. El flamante esposo podía disponer en cualquier momento de su mujer, pero lo usual era que la muchacha siguiera viviendo durante un intervalo breve de tiempo en el hogar paterno hasta el día de la boda, en que era conducida a casa del esposo y se producía la consumación carnal. Cuando el siervo de Abraham anunció su partida al día siguiente de tomar a Rebeca por mujer para el hijo de su amo, Labán intentó convencerlo de que dejase a la muchacha en casa durante un tiempo: "Que esté la joven con nosotros todavía algunos días, unos diez, y después partirá". Sin embargo, la propia Rebeca decidió no esperar.

El recién casado quedaba temporalmente eximido del servicio militar. "¿Quién se ha desposado con una mujer y todavía no la ha tomado? Que se vaya y vuelva a su casa, no sea que muera en la batalla y la tome otro", dice el legislador del Deuteronomio. En otro pasaje fija el plazo de la exención militar: "Cuando un hombre sea recién casado, no irá a la guerra ni se ocupará en cosa alguna; quede libre en su casa durante un año para contentar a la mujer que tomó".

La desposada virgen debía fidelidad al marido. Si era sorprendida en la cama con otro hombre, se le aplicaba junto con el amante la muerte de los adúlteros. No obstante, la ley la eximía de culpa si eran descubiertos en el campo, pues se presumía que la muchacha había pedido a gritos ayuda sin que nadie la escuchara. Esa eximente no se aplicaba a la casada que ya había pasado a vivir con su esposo: era condenada a morir junto a su amante tanto si los sorprendían en la ciudad como en el campo.

Contrato con trampa

Cabe imaginar que el grado de confianza entre las partes o su nivel de coincidencia respecto a los términos económicos de la operación determinaban que algunas negociaciones matrimoniales fuesen más largas o más tensas que otras. La transacción por Raquel fue especialmente rápida. Jacob ofreció como *mohar* siete años de trabajo por la muchacha, y el padre de esta contestó: "Mejor es que te la dé a ti que dársela a un extraño. Quédate conmigo". El problema de cerrar sin cautela los contratos es que alguna de las partes puede salir embaucada, sobre todo si se encuentra en un territorio extraño donde rigen otras costumbres. Al cabo de los siete años de trabajo, llegado el día de la boda, Labán entregó a Jacob a su hija mayor, Lía, y no a Raquel, aprovechándose seguramente de la nocturnidad y de que la novia llevaba el rostro cubierto por un velo. "¿Por qué me has hecho esto? ¿No te he servido por Raquel? ¿Por qué me has engañado?", reclamó Jacob a su suegro a la mañana siguiente, tras descubrir, demasiado tarde, el engaño. No resulta difícil imaginar el enfado que llevaba encima. Labán le respondió: "No es en nuestro lugar costumbre dar la menor antes que la mayor. Acaba esta semana, y te daré también después la otra por el servicio que me prestes de otros siete años". Jacob, resignado, trabajó siete años más por la anhelada Raquel. El hecho de que haya dado su brazo a torcer sin demasiada resistencia parece indicar su aceptación de que la costumbre local tenía prelación sobre el contrato privado que había pactado con su tramposo tío.

"Daré lo que me pidáis"

La negociación matrimonial más tensa que recoge la Biblia se desarrolló en la remotísima época patriarcal. Como ya se ha contado, el joven cananeo Siquem se había enamorado de Dina, hija del patriarca Jacob, después de violarla y pidió a su padre, el príncipe Jamor, que se la pidiera como esposa. Lo que sucedió después lo recoge en toda su brutalidad el capítulo 34 del libro de Génesis. Jamor, en compañía de Siquem, acudió donde Jacob para comunicar las pretensiones de su hijo y discutir los términos matrimoniales. A su vez, al patriarca lo acompañaban sus hijos, que estaban llenos "de ira y de furor" porque acaban de regresar del campo y se habían enterado de la violación de su hermana. El hecho de que durante la conversación Jamor se dirija a los hijos de Jacob y que estos tomen la palabra parece indicar que el patriarca ya era muy anciano y sólo ejercía nominalmente la autoridad en su casa.

Jamor abrió la conversación. "Siquem, mi hijo, está prendado de la hija de vosotros, dádsela, os ruego, por mujer", dijo. Su propuesta no acabó ahí. El príncipe cananeo quería mantener buenas relaciones con la familia israelita que acaba de llegar a su país, por lo que añadió: "Haced alianza con nosotros; dadnos vuestras hijas y tomad las nuestras para vosotros, y habitad con nosotros. La tierra estará a vuestra disposición para que habitéis en ella, la recorráis y tengáis propiedades en ella". Intervino entonces Siquem y dijo al padre y los hermanos de su pretendida: "Halle yo gracia ante vuestros ojos y os daré lo que me pidáis. Aumentad el *mohar* y los presentes; cuanto me digáis os daré, pero dadme a la joven por mujer". Los hijos de Jacob respondieron a Jamor y a Siquem que aprobarían el matrimonio con una condición: que se circuncidaran ellos dos y todos los varones de su pueblo, porque entregar a Dina a un incircunciso sería una *afrenta*. La respuesta agradó a sus interlocutores, según el relato. El joven Siquem "no dio largas a la cosa, de lo enamorado que estaba de la hija de Jacob". De ese modo se cerró el acuerdo matrimonial. Poco después, sin embargo, Siquem y Jamor se llevarían una sorpresa terrible al comprobar que el consentimiento de los hijos de Jacob escondía en realidad un plan macrabro.

"¿Os parece fácil ser yerno del rey?"

La negociación del rey Saúl con David fue enrevesada, principalmente porque sus fines eran turbios. Al enterarse de que su hija Micol estaba prendada de David, el monarca se alegró porque vio la posibilidad de deshacerse del popular soldado haciéndolo perecer a manos de los filisteos. "Por segunda vez voy a darte la posibilidad de ser mi yerno", dijo Saúl a David, en alusión a un anterior e incumplido compromiso de entregarle a su hija mayor, Merab. Al mismo tiempo, ordenó a sus servidores que, simulando actuar de modo espontáneo, dijesen a David que el rey lo estimaba y que pusiese de su parte para ser su yerno. "¿Os parece cosa fácil eso de ser yerno del rey? Yo soy hombre de poco y de poca hacienda", respondió David a los servidores. Cuando estos transmitieron a Saúl las palabras del soldado, el monarca los envió de vuelta con la siguiente oferta: "No necesita el rey *mohar*; sólo quiere cien prepucios de filisteos para vengarse de sus enemigos". A David, ajeno a las torvas intenciones de Saúl, "le agradó la condición puesta para ser yerno del rey". Salió con los hombres que estaban a su mando, mató a cien filisteos y con sus prepucios pagó el precio de la princesa Micol.

Un contrato de alto riesgo

Tobías pidió la mano de su parienta Sara durante un banquete que le ofrecieron los padres de la muchacha a su llegada a la ciudad de Ectábana. "Hermano Azarías, habla de aquel asunto de que en el camino tratamos, y que se acabe este negocio", dijo a su compañero de viaje, otorgándole así un papel de representante en la transacción.

Cuando Azarías comunicó las pretensiones matrimoniales de Tobías, Ragüel dijo a este: "Come, bebe y alégrate; en efecto a ti te toca recibir a mi hija; pero antes tengo que advertirte una cosa: he dado ya mi hija a siete maridos, pero, al acercarse a ella, en la misma noche murieron". Tras exponerle sin rodeos la cruda realidad, invitó a Tobías a disfrutar de la cena quizá con la finalidad de que reflexionase a fondo su decisión. Pero el joven contestó: "No gustaré bocado hasta que resolváis este negocio y me lo confirméis". Ragüel no realizó más esfuerzos disuasorios. "Tómala desde ahora, según la Ley, porque tú eres su hermano y a ti se debe. Que Dios misericordioso los colme de felicidades", le dijo. Llamó entonces a Sara y, tomándola de la mano, la entregó a Tobías. "Anda, según la ley de Moisés, tómala y llévala a tu padre", manifestó, y bendijo a la pareja. A continuación, cuenta la Biblia, "llamó a Edna, su mujer, tomó un rollo, escribió el contrato matrimonial, lo selló, y luego comenzaron a comer". El libro de Tobías, escrito hacia el año 200 a. C., contiene así la primera referencia bíblica a un contrato matrimonial redactado. Es probable que, en la época nómada, los hebreos formalizaran de palabra o mediante alguna señal primitiva el acuerdo matrimonial; pero en algún momento anterior al relato de Tobías ya debió de existir la costumbre del documento escrito, del mismo modo que se exigía uno para el divorcio.

La boda: siete días o más de juerga

La boda formalizaba el ingreso de la esposa en el clan del marido mediante su traslado al hogar del novio y la consumación carnal del matrimonio. Desafortunadamente, la Biblia ofrece apenas unas pistas sueltas sobre el festejo. De las celebraciones de Jacob con Raquel y Lía, y la de Sansón con la filistea de Timna, se dice que duraron siete días, mientras que la de Tobías con Sara se prolongó dos semanas. El momento más colorido de la celebración lo constituía el traslado de la novia a la casa del novio, en medio de un gran jolgorio. Algunos expertos ven en este ritual reminiscencias de una época muy antigua en que las guerras constituían la fuente primordial de abastecimiento de mujeres; los cortejos nupciales evocarían, en versión festiva, la conducción de las cautivas al hogar de sus captores. El libro de Macabeos esboza una de esas procesiones, en la que el novio, acompañado por un séquito de amigos, sale al encuentro de la novia y su cohorte de amigas: "Llegó a Jonatán y a Simea, su hermano, la nueva de que los hijos de Jambri celebraban una solemne boda con gran pompa y conducían desde Madaba a la novia, hija de uno de los magnates de Canaán. Y acordándose de su hermano Juan, salieron, se ocultaron al abrigo de un monte, alzaron los ojos y vieron una caravana regocijada y numerosa. Era el novio, que con sus amigos y hermanos salían al encuentro de la novia con panderos, instrumentos músicos y muchas armas". En este caso el desfile no llegó a su destino, ya que los macabeos Jonatán y Simea aprovecharon la ocasión para vengar la muerte de su hermano Juan y atacaron con tal fiereza a los festejantes que "las bodas se convirtieron en llanto y el sonido de la música en lamentaciones".

La novia y el novio se engalanaban para la boda. El profeta Isaías dice que el esposo "se ciñe la frente con diadema" y la esposa "se adorna con sus joyas", en referencia al matrimonio simbólico de Dios con Israel. "Son palomas tus ojos a través de tu velo", dice el novio del Cantar de los Cantares, citando una de las prendas nupciales de la novia. Rebeca, que por venir desde muy lejos no traía una comitiva de bulliciosas amigas, se colocó un velo al arribar al hogar donde la aguardaba su desconocido esposo. El narrador describe ese momento con brevedad y extraordinaria belleza: "Volvía un día Isaac del pozo de Lajat Roi, pues habitaba en la tierra del Negueb, y había salido a pasear por el campo al atardecer, y, alzando los ojos, vio venir camellos. También Rebeca alzó sus ojos, y viendo a Isaac se apeó del camello, y preguntó al siervo: '¿Quién es aquel hombre que viene por el campo a nuestro encuentro?'. El siervo le respondió: 'Es mi señor'. Ella agarró el velo y se cubrió. El siervo contó a Isaac cuanto había ocurrido, e Isaac condujo a Rebeca a la tienda de Sara, su madre; la tomó por mujer y la amó, consolándose de la muerte de su madre".

Bebida, comida y adivinanzas

Durante los fastos, el novio y la novia permanecían apartados, cada cual rodeado por un grupo de amigos del propio sexo. En cada grupo había uno que ejercía de "amigo de confianza". Los anfitriones filisteos adjudicaron a Sansón treinta compañeros, más que para honrarlo, para controlarlo, pues le temían por su fuerza descomunal. Por lo menos en tiempos del Nuevo Testamento, los invitados a los fastos vestían de manera especial. Así lo sugiere san Mateo en la parábola del banquete nupcial: "Entrando el rey para ver a los que estaban a la mesa, vio allí a un hombre que no llevaba traje de boda, y le dijo: 'Amigo, ¿cómo has entrado aquí sin el vestido de boda?'. Él enmudeció". A juzgar por lo que ocurrió con el intruso —fue atado de pies y manos y echado a las tinieblas del exterior—, era conveniente cumplir las normas de etiqueta.

Los invitados comían, bebían, cantaban y, a veces, jugaban a proponerse enigmas. El primer día de celebración de su boda, Sansón puso a sus compañeros la siguiente adivinanza: "Del que come salió lo que se come, y del fuerte, la dulzura", y les apostó treinta túnicas y treinta mudas a que no la resolverían durante los siete días del festejo. El acertijo se le había ocurrido camino de la boda, al ver el cadáver de un león que había matado días antes y un enjambre de abejas con miel en la osamenta del animal. Como no lograban descifrar el enigma, los jóvenes filisteos amenazaron a la novia con quemarla a ella y a la casa de su padre si no les conseguía la solución. La muchacha importunó sin respiro a Sansón, llorándole todos los días, hasta que en el último momento le arrancó la respuesta. El séptimo día, antes de la puesta del sol, los filisteos dijeron a Sansón: "¿Qué más dulce que la miel? ¿Qué más fuerte que el león?". El israelita les contestó: "Si no hubierais arado con mi novilla, no hubierais descifrado mi enigma". Iracundo, bajó a la ciudad filistea de Escalón, mató a treinta hombres, los despojó y pagó con sus túnicas la apuesta perdida. Seguidamente, se marchó a la casa de sus padres. Al cabo de unos días, volvió a Timna, llevando un cabrito, y dijo: "Quiero entrar a mi mujer en su cámara". El padre de la muchacha le negó la entrada, diciéndole: "Creí que la habías aborrecido enteramente y se la he entregado a tu compañero (el amigo de confianza de la boda)". En compensación le ofreció a su hija menor asegurándole que era "más hermosa todavía". Sansón, evidentemente iracundo, respondió que había llegado el momento de hacerles daño a los filisteos. Siguió una ola terrible de violencia: Sansón arrasó con fuego vastos campos de los filisteos atando antorchas a las colas de trescientas zorras; los filisteos reaccionaron quemando a la mujer sobre la que Sansón aún reivindicaba sus derechos de marido y la casa del padre de la muchacha; el israelita mató a mil filisteos con una quijada de asno… Después de esta orgía de sangre, la Biblia informa que Sansón fue juez de Israel durante veinte años.

Himnos talámicos

En las bodas reales, y quizá también en las de las familias plebeyas que podían permitirse esos lujos, un cantor o un coro entonaban cantos nupciales compuestos para la ocasión. El Cantar de los Cantares es el epitalamio por excelencia: a él le dedicamos un capítulo especial en este libro. Pero la Biblia incluye otro himno nupcial, el salmo 45, que por su referencia a la "hija de Tiro", es decir, a una novia fenicia, parece compuesto para la boda del rey israelita Acab con Jezabel, hija del rey de Sidón. El salmo va encabezado por las siguientes instrucciones que denotan su finalidad musical: "Al maestro del coro. Sobre lirios. *Maskil* [sabiduría, instrucción] de los hijos de Coré. Canto de amor".

> Bulle en mi corazón un bello discurso:
> al rey dedico mi poema.

Es mi lengua como cálamo de veloz escriba.
Eres el más hermoso de los hijos de los hombres;
en tus labios la gracia se ha derramado;
por eso te bendijo Dios para siempre.
Cíñete tu espada sobre el muslo, ¡oh héroe!;
tus galas y preseas.
Y marcha, cabalga por la verdad y la justicia;
enséñete tu diestra portentosas hazañas.
Agudas son tus saetas; ante ti caerán los pueblos;
desfallecen los corazones de los enemigos del rey.
Tu trono subsistirá por siempre jamás,
cetro de equidad es el cetro de tu reino.
Amas la justicia y aborreces la iniquidad;
por eso Yavé, tu Dios, te ha ungido
con el óleo de la alegría más que a tus compañeros.
Mirra, áloe, casia exhalan tus vestidos;
desde los palacios de marfil los instrumentos de cuerda te alegran.
Hijas de reyes vienen a tu encuentro,
y a tu diestra está la reina con oro de Ofir.
Oye, hija, y mira; inclina tu oído:
olvida tu pueblo y la casa de tu padre.
Prendado está el rey de tu hermosura;
pues que él es tu señor, póstrate ante él.
La hija de Tiro viene con dones,
los ricos del pueblo te halagarán.
Toda radiante de gloria entra la hija del rey;
su vestido está tejido de oro.
Entre los brocados es llevada al rey.
Detrás de ella, las vírgenes, sus compañeras,
son introducidas a ti.
Con alegría y algazara son conducidas,
entran en el palacio del rey.

A tus padres sucederán tus hijos,
los constituirás por príncipes de toda la tierra.
Yo quisiera recordar tu nombre de generación en generación.
Por eso los pueblos te alabarán por siempre jamás.

Consummatio carnalis

El momento culminante de la boda era el acceso a la cámara nupcial y la consumación carnal del matrimonio. La información de la Biblia sobre este ritual es escasa. "Juntó Labán a todos los hombres del lugar y dio un convite; y por la noche, tomando a Lía, su hija, se la llevó a Jacob, que entró a ella", cuenta el narrador del libro de Génesis. El salmo 45 y el Cantar de los Cantares dan a entender que la novia era escoltada por su cohorte de amigas hasta la cámara nupcial. En la muy particular boda de Tobías y Sara, el padre de la muchacha hace un paréntesis en la cena para ordenar a su mujer que prepare una habitación e instale allí a la novia. Después, cuando hubieron terminado de comer, los anfitriones "llevaron a la alcoba a Tobías".

La noche de la consumación carnal de Sara y Tobías fue, por decirlo de algún modo, descabellada. Siguiendo las instrucciones de su compañero Rafael, Tobías tomó un brasero y puso sobre las brasas el corazón y el hígado de un pez que había capturado en el camino. Al oler ese humo, el demonio que dominaba a Sara y que había matado a sus siete maridos anteriores "huyó al Egipto superior, donde el ángel lo ató". Tobías se puso entonces en pie y pidió a Sara que también se levantase para orar a Dios. "Ahora, pues, Señor, no llevado de la pasión sexual, sino del amor de tu ley, recibo a esta mi hermana por mujer", dijo Tobías. Ella respondió: *Amén.* Y, según añade el narrador, "pasaron ambos dormidos aquella noche". A la mañana siguiente, Ragüel, el padre de la novia, fue a cavar una sepultura para el caso de que su nuevo yerno hubiese muerto como los anteriores. Al volver a casa, dijo a Edna, su mujer, que enviara una sierva para que averiguase si Tobías estaba vivo, con el fin de "enterrarlo si no y que nadie se entere". La sierva se asomó a la puerta y comprobó que ambos dormían. Ragüel prorrumpió en una gran alegría, mandó a sus siervos a rellenar la sepultura y le celebró a la pareja una fiesta de catorce días. Aunque lo normal era que la consumación carnal se produjera al final de los fastos, en el caso de Tobías y Raquel fue necesario que la pareja pasara primero por la cámara nupcial para determinar si habría razones para el festejo.

Capítulo VI
La virginidad

La prueba de la sábana

La noche de bodas constituía para la novia —más exactamente, para la que se casaba por vez primera— una auténtica prueba de fuego porque permitía comprobar si había llegado virgen al matrimonio. Un esposo que se sintiera engañado podía entablar en el acto una denuncia contra su mujer. Si los padres de la muchacha consideraban falsa la acusación tenían derecho a responder con un juicio por difamación, en el que debían presentar ante los ancianos de la ciudad, a modo de prueba, las *vestimentas* de su hija con los *signos de virginidad.* Es de presumir que el acto sexual se realizaba sobre una pieza de tela donde quedaban manchas de sangre tras la desfloración. Si los padres de la muchacha ganaban el pleito, al esposo se le castigaba "por haber esparcido la difamación de una virgen de Israel" con el pago de cien siclos de plata a su suegro y la prohibición de divorciarse de su esposa en toda la vida. En cambio, si la acusación tenía fundamento, la joven era sacada a la puerta de la casa de su padre y apedreada hasta la muerte por "haber cometido una infamia en Israel, prostituyéndose en la casa paterna".

Una joya con fecha de caducidad

La virginidad femenina gozaba de muy alta estima entre los antiguos israelitas. La ley levítica asocia la virginidad a la pureza ritual, al establecer que el sacerdote sólo podía casarse con una mujer que no hubiera mantenido relaciones sexuales: "Tomará virgen por mujer, ni viuda, ni repudiada, ni desflorada, ni prostituida. Tomará una virgen de las de su pueblo". Las relaciones sexuales prematrimoniales eran duramente censuradas y se equiparaban a un acto de prostitución bajo el techo paterno. La muchacha que osaba dar el paso se enfrentaba, en el mejor de los casos, al matrimonio forzoso o a una larga soltería si su padre rehusaba entregarla al *seductor*. El destino alternativo era la muerte por lapidación, en el caso de que callara su pérdida de virginidad y su *pecado* fuera descubierto en la noche de bodas, como se vio en el apartado anterior.

Tan elevada valoración de la virginidad no significaba, ni mucho menos, que esta fuera el estado ideal. La sociedad israelita esperaba de la mujer que se casara a cierta edad y tuviera descendencia, a ser posible numerosa. El libro de Jueces, que describe los primeros años del establecimiento de los israelitas en la tierra de Canaán, cuenta que la hija del juez Jefté prorrumpió en un "llanto de virginidad" al recibir la certeza de que nunca se uniría conyugalmente a un hombre. Esta historia tiene la singularidad de que consigna un sacrificio humano en los primeros tiempos de Israel.

El llanto de la hija de Jefté

A punto de entrar en guerra contra los ammonitas, el juez Jefté hizo un voto a Yavé: si lo ayudaba a derrotar al enemigo, le ofrecería en holocausto a la primera persona que saliera a las puertas de su casa para recibirlo al regreso de la contienda. Jefté aplastó a los ammonitas. Pero la alegría por la victoria se convirtió en desgracia al volver a su casa en Masfa, porque la primera persona que salió a su encuentro fue su única hija: fuera de ella no tenía más descendencia.

Cuando la muchacha acudió con "tímpanos y danzas" a su encuentro, Jefté rasgó sus vestiduras en señal de duelo y dijo: "¡Ah, hija mía, me has abatido del todo y tú misma te has abatido al mismo tiempo! He abierto mi boca a Yavé sobre ti y no puedo volverme atrás".

"Padre mío", respondió la muchacha, "si has abierto tu boca a Yavé, haz conmigo lo que de tu boca salió, pues te ha vengado Yavé de tus enemigos, los hijos de Ammón". Y añadió: "Hazme esta gracia: déjame que por dos meses vaya con mis compañeras por los montes, llorando mi virginidad". Jefté la dejó ir. La muchacha "se fue por los montes con sus compañeras y lloró por dos meses su virginidad", tras lo cual regresó a casa para afrontar su trágico destino. El narrador concluye: "Y ella no conoció varón. De ahí viene la costumbre en Israel de que cada año se reúnan las hijas de Israel para llorar a la hija de Jefté, galaadita, por cuatro días".

Los expertos continúan debatiendo sobre esta singular historia. Algunos sostienen que el voto de Jefté a Dios consistía en consagrar su hija a la virginidad, no en matarla. Argumentan que la muchacha pidió dos meses para llorar su virginidad no porque fuera a morir virgen, sino porque quedaba obligada a vivir en castidad el resto de sus días, algo que se consideraba una desgracia entre los israelitas. Al apostillar que la chica *no conoció varón,* el narrador estaría informando justamente de que ese voto de virginidad se cumplió. Frente a esta posición, la mayor parte de los estudiosos bíblicos interpreta que el relato describe un sacrificio humano en toda regla y que ello queda patente con la afirmación de que Jefté *rasgó sus vestiduras,* un acto que los israelitas practicaban en señal de duelo. Probablemente en épocas muy antiguas se celebraron en Israel rituales de ese tipo. La historia del Génesis en que Dios pone a prueba al patriarca Abraham exigiéndole el sacrificio de su hijo

—operación que le ordena detener en el último momento al comprobar su obediencia— podría evocar aquellas terribles ceremonias. También es posible que los sacrificios humanos nunca existieran en Israel y que el narrador bíblico, con alguna finalidad desconocida, se inspirara en leyendas de otros pueblos de la región para construir una historia ficticia con ese argumento. Un antecedente notable del relato de la hija de Jefté es el de la griega Ifigenia, cuyo padre, el rey Agamenón, la manda matar para aplacar la ira de la diosa Artemisa. Sea como fuere, la ley del Deuteronomio prohibió de modo expreso los sacrificios humanos al exigir a los israelitas que no imitasen a las naciones vecinas: "No obres así con Yavé, tu Dios; porque cuanto hay de aborrecible y abominable a Yavé lo hacían ellos para sus dioses; hasta quemar en el fuego a sus hijos y a sus hijas en holocausto".

Sobre la supuesta costumbre de que las hijas de Israel se reúnan cuatro días al año para llorar a Jefté nada se sabe, salvo por la frase que cita el libro de Jueces. Algunos expertos aventuran que quizá existió en la Antigüedad algún tipo de ceremonia anual femenina y que el narrador la convirtió para sus fines literarios en un acto de homenaje a la protagonista de su relato.

Una virgencita para calentar al rey

La Biblia recoge un pasaje muy breve y curioso sobre David, el rey más grande de la historia de Israel. El monarca, ya viejo, "no podía entrar en calor por más que le cubrían con ropas". Sus servidores le dijeron: "Que busquen para mi señor, el rey, una joven virgen que le cuide y le sirva; durmiendo en su seno, el rey, mi señor, entrará en calor". Y concluye el relato: "Buscaron por todo el territorio de Israel una joven hermosa y hallaron a Abisag, sunamita, y la trajeron al rey. Era esta joven muy hermosa y cuidaba al rey y le servía, pero el rey no la conoció".

La virgen Abisag reaparece poco después en la historia, cuando, a la muerte de David, ascendió al trono su hijo Salomón. La corte era un nido de intrigas. Adonías, medio hermano de Salomón, se presentó cierto día ante Betsabé, la madre del monarca, y le dijo que él era el candidato legítimo al trono, aunque admitió que Yavé había decidido traspasar el reino a Salomón. Seguidamente pidió a Betsabé que intercediera ante el rey para que le diese por mujer a Abisag, la sunamita. "No te lo negará", la animó.

Cuando Betsabé transmitió a su hijo la petición, Salomón montó en cólera y anunció que ese mismo día moriría Adonías. El fiel y eficaz Benayas, jefe del ejército, ejecutó la sentencia. Alguien podría preguntarse qué le costaba a Salomón, con un harén de setecientas concubinas, desprenderse de Abisag, por muy hermosa que fuese. La respuesta es que el rey vio en la petición de su medio hermano una maniobra política —o, como diríamos hoy, una "intentona golpista"—, ya que acostarse con la concubina de otro equivalía a desafiar la autoridad.

Capítulo VII
El divorcio

La "inmundicia de cosa"

La ley deuteronómica, de finales del siglo VII a. C., daba al esposo el derecho a la separación matrimonial si descubría en su mujer una "inmundicia de cosa". Todo cuanto tenía que hacer en ese caso era redactar a su esposa un "libelo de repudio" y despedirla de casa. Con la cláusula de la "inmundicia de cosa", el legislador seguramente buscaba limitar posibles arbitrariedades por parte del hombre. Sin embargo, no se precisa el sentido de la expresión. El libro de Oseas, escrito en el siglo VIII a. C., esboza una ceremonia rudimentaria en la que el profeta pide verbalmente a unos testigos imprecisos que digan a los hijos de su matrimonio: "Contended contra vuestra madre, porque ni ella es mi mujer, ni yo soy su marido". La causa que alega Oseas para el repudio es el adulterio continuado de su mujer. Es presumible que en las épocas de mayor laxitud el interesado esgrimiera cualquier pretexto para deshacerse de su esposa. El autor del Eclesiástico, machista furibundo, aconseja sin más al marido: "Si tu mujer no va de tu mano, sepárala de ti".

En la práctica, los principales argumentos disuasorios contra el divorcio seguramente no eran los legales, sino los económicos y sociales. Repudiar a una mujer implicaba para un hombre perder el dinero del *mohar* que había dado por ella —en otras palabras, tirar por la borda una inversión— y pagar una suma parecida si pretendía casarse otra vez. No cualquiera estaba en condiciones de asumir tantos gastos. Por otra parte, el divorcio no era algo bien visto en la sociedad israelita. El profeta Isaías refleja esa actitud al contar en clave metafórica que Dios, después de repudiar a sus *esposas* Israel y Judá, se muestra más tarde dispuesto a recibirlas de nuevo y perdonarlas:

> Como mujer abandonada y desolada de espíritu
> te ha llamado Yavé.
> ¿Y la esposa de juventud podrá ser repudiada?,
> dice tu Dios.
> Por un breve momento te abandoné,
> pero con amor eterno me apiadé de ti.

Es posible que, en tiempos de Jesús, la mujer también tuviera derecho de emprender el trámite de divorcio. Así lo sugiere el Evangelio de Marcos, que pone en boca de Jesús las siguientes palabras: "El que repudia a su mujer y se casa con otra, adultera contra aquélla, y si la mujer repudia al marido y se casa con otro, comete adulterio".

Con el paso del tiempo, las voces de reprobación contra el divorcio se multiplicaron. El profeta postexílico Malaquías ya no habla en un sentido alegórico, sino que se dirige a los israelitas como personas, cuando dice: "Porque Yavé toma la defensa de la esposa de tu juventud, a la que has sido desleal, siendo ella tu compañera y la esposa de tu alianza matrimonial. ¿No los hizo para ser un solo ser que tiene su carne y su hálito? Y este único, ¿qué busca, sino una posteridad de Dios? ¡Cuidad, pues, de vuestro hálito, y no seas infiel a la esposa de tu juventud! El que por aversión repudia, dice Yavé, Dios de Israel, se cubre de injusticia por encima de sus vestiduras". Las palabras de Malaquías son la antesala de la condena absoluta del divorcio por parte de Jesús y el apóstol Pablo.

El libelo de repudio

La exigencia legal de que el divorcio se consignara por escrito constituía una garantía para la mujer contra la eventualidad de que su marido, ya fuera para recuperarla o para impedir que se casara con otro hombre, negase haberla despedido. Sobre el contenido del documento, algo se sabe a través de documentos extrabíblicos. En su *Manual de la Biblia*, Heinrich Mertens transcribe la siguiente carta de despido fechada en vísperas de la era cristiana:

"Libelo de repudio. El primer día de la semana, a siete días del mes de tishrí, del año 3.760 de la creación del mundo, según el cómputo que nosotros seguimos, en el lugar de Caná, yo Simea, hijo de Onías, y cualquier otro nombre que yo pueda llevar, oriundo del lugar de Séforis, por propia decisión y libre voluntad, y sin ser forzado por nadie, te despido, abandono y expulso a ti Miriam, hija de Yeshúa, y cualquier otro nombre que puedas llevar, del lugar de Séforis, que hasta ahora has sido mi mujer. Y ahora yo te expulso y te dejo libre a ti Miriam, hija de Yeshúa, y cualquier otro nombre que puedas llevar, del lugar de Séforis, de modo que eres libre y dueña de ti misma para irte y casarte con el hombre que quieras, y nadie podrá impedírtelo desde este día hasta la eternidad. He aquí que eres libre para cualquier hombre, y éste será por mi parte el escrito de expulsión y el documento de despido y la carta de abandono, según la Ley de Moisés y de Israel. Rubén ben Yacob como testigo. Gilead ben Asher como testigo".

De vuelta donde papá y mamá

La mujer repudiada volvía a su hogar paterno, según la costumbre. Por lo regular se marchaba con las manos vacías, pues por su condición de mujer carecía de derechos sobre la heredad familiar. A lo sumo se podía llevar con ella la dote que le dio en su día su padre, si es que aún la conservaba. La divorciada tenía el derecho de casarse otra vez, excepto con un sacerdote, ya que éste, por pretendidas razones de pureza ritual, sólo podía contraer nupcias con una virgen. La ley no aclara qué sucedía en el caso de que hubiera hijos de por medio al producirse un divorcio. Cabe suponer que el esposo, como dueño de la familia, tenía la última palabra al respecto y que al menos los hijos varones se quedaban en la casa paterna por su condición de potenciales herederos.

El divorcio estaba sujeto a muy pocas restricciones legales. El hombre que violara a una soltera virgen estaba obligado a tomarla por esposa y no podía repudiarla en toda su vida. También perdía el derecho de divorcio, como vimos antes, el hombre que acusara falsamente a su mujer de no haber llegado virgen al matrimonio. Si una mujer divorciada contraía segundas nupcias, y luego enviudaba o era repudiada por su nuevo marido, el primer esposo no podía casarse con ella. El objeto de esta medida era invitar a la reflexión al hombre que se disponía a repudiar a su mujer, con el mensaje de que podía tener problemas si deseaba recuperarla más adelante.

La concubina que abandonó a su marido

La mujer, al menos en los tiempos más antiguos, no podía promover un proceso de divorcio. Y como propiedad del esposo tampoco tenía derecho de abandonar el hogar a menos que el marido le extendiera el libelo de repudio. Sin embargo, cabe imaginar que más de una esposa víctima de maltratos o humillaciones se escapaba a la casa de sus padres en busca de protección. Lo mismo podía suceder con una concubina, aunque tuviera aún menos derechos que la esposa. El libro de Jueces narra uno de esos casos, el de una concubina que volvió donde sus padres tras *enojarse* con su marido levita. El hombre, en lugar de hacerle pagar la afrenta, fue tras ella con el fin de *hablarle al corazón* y recuperar su afecto. Durante cuatro días permaneció en casa de su suegro, comiendo y bebiendo, hasta que, lograda la reconciliación, emprendió el regreso a casa con su concubina, su criado y los dos asnos.

Lo que Dios unió...

El rechazo al divorcio constituye uno de los caballos de batalla del Nuevo Testamento. La doctrina la sentó Jesús, cuando unos fariseos le preguntaron si era lícito al marido repudiar a la mujer. "¿Qué ha mandado Moisés?", les preguntó el Maestro. Ellos le contestaron: "Moisés manda escribir el libelo de repudio y despedirla". "Por la dureza de vuestro corazón os dio Moisés esa ley", les replicó Jesús, e invocó el relato de la Creación, en que el hombre y la mujer se unen en una sola carne, para rechazar de manera tajante el divorcio. "Lo que Dios juntó, no lo separe el hombre", sentenció. Para Jesús, quien repudia a su mujer —salvo en caso de fornicación— la expone al adulterio, y el hombre que se casa con la repudiada comete adulterio. Esta visión choca con la ley mosaica, que permitía a una mujer divorciada casarse de nuevo y emprender una nueva vida conyugal. El apóstol Pablo rechaza el divorcio incluso en casos de infidelidad. "Si algún hermano tiene mujer infiel y esta consiente en cohabitar con él, no la despida. Y si una mujer tiene marido infiel y este consiente en cohabitar con ella, no lo abandone", dice.

Capítulo VIII
Poligamia

Todo empezó con Lamec

Al igual que en las naciones del entorno, la costumbre israelita permitía al hombre tener cuantas esposas y concubinas quisiera. La poligamia se justificaba en la propia idea que se tenía del matrimonio como institución para generar descendencia. En ese sentido, la Biblia presenta varios casos de hombres que tomaron mujeres adicionales porque sus esposas eran estériles. Pero tener más de una mujer permitía también al esposo una mayor diversidad sexual dentro del matrimonio. Y simbolizaba poder y riqueza, como lo atestiguan los frondosos harenes de David, Salomón y otros reyes israelitas.

La poligamia era una práctica muy antigua. La Biblia se hace eco de esa antigüedad al situar al primer polígamo en la época prediluviana. Se trata de Lamec, hijo de un tataranieto de Caín, hijo a su vez de Adán y Eva y primer fratricida de la historia. El autor bíblico presenta a Lamec como el antepasado mítico de los ganaderos, los forjadores de metales y los músicos, y le atribuye un feroz canto guerrero de venganza:

"Lamec tomó dos mujeres, una de nombre Ada, otra de nombre Sela. Ada parió a Jabel, que fue el padre de los que habitan en tiendas y pastorean. El nombre de su hermano fue Jubal, el padre de cuantos tocan la cítara y la flauta.

También Sela tuvo un hijo, Tubalcaín, forjador de instrumentos cortantes de bronce y de hierro. Hermana de Tubalcaín fue Noema. Dijo, pues, Lamec a sus mujeres:

> Ada y Sela, oíd mi voz;
> mujeres de Lamec, dad oído a mis palabras.
> Por una herida mataré a un hombre,
> y a un joven por un cardenal.
> Si Caín sería vengado siete veces,
> Lamec lo será setenta veces siete".

En la época patriarcal (siglos XIX-XVII a. C.) prosiguen las uniones polígamas. Esaú, nieto del patriarca Abraham, se casó con dos mujeres jeteas, Judit y Besemat, y más adelante se unió con la ismaelita Majalat. El hermano de Esaú, Jacob, fue también polígamo, pero sin proponérselo: él se quería casar con Raquel, pero el padre de ésta le coló primero a su hija mayor, Lía, con lo que quedó convertido en bígamo. Lía tuvo cuatro hijos consecutivos y, al dejar de concebir, entregó su esclava Zelfa a Jacob para que engendrara más descendencia. Y Raquel, como en un principio era estéril, dio su esclava Bala a Jacob, que casi sin darse cuenta terminó con dos esposas y dos concubinas.

En tiempos de los jueces (siglos XII-XI a. C.) destaca como polígamo el juez Gedeón, que "tuvo setenta hijos, todos nacidos de él, pues fueron muchas sus mujeres". Además, apostilla el meticuloso narrador, "una concubina que tenía en Siquem le parió también un hijo". Un bígamo notable fue Elcana, padre de Samuel, el profeta que ungió a los dos primeros reyes de Israel. Elcana tenía dos mujeres, Ana, la que más quería, que era al comienzo estéril, y Penena.

Durante la monarquía (desde finales del siglo XI a. C.) la poligamia se convierte en práctica habitual de los reyes, que por razones de diplomacia y estrategia política tomaban por mujeres a princesas de naciones vecinas. Un caso extraordinario es el de Salomón, el fastuoso monarca que tuvo "setecientas mujeres de sangre real y trescientas concubinas". Superó de lejos a su padre, David, a quien la Biblia le atribuye ocho esposas y una docena de concubinas. Roboam, hijo de Salomón, tuvo a su vez dieciocho esposas y sesenta concubinas.

La gente del pueblo no recurría a la poligamia con facilidad, entre otras cosas por razones económicas. Casarse con varias mujeres implicaba pagar el *mohar* por cada una de ellas a sus respectivos padres. Y después venía el problema de mantener a varias familias. No cualquiera podía permitirse semejante tren de gastos. Además, la poligamia solía ser fuente de perturbaciones familiares, ya que generaba celos entre las esposas y rivalidades entre los hijos a causa de las herencias. Quizá los casos más comunes fueran de bigamia. En sus discursos alegóricos que datan del siglo VI a. C., los profetas Jeremías y Ezequiel reflejan la normalidad de esa práctica al presentar a Dios *casado* con Israel y Judá.

Con el paso del tiempo, el matrimonio con una sola esposa se fue imponiendo como único modelo conyugal. Los libros sapienciales contienen abundantes elogios a la *mujer buena* que parece una invitación a la monogamia. Dice el Eclesiástico:

> Dichoso el marido de una mujer buena,
> el número de sus días será doblado.

Y el Eclesiastés:

> Goza de la vida con tu amada compañera
> todos los días de la fugaz vida
> que Dios te da bajo el sol.

Unas pocas regulaciones

La legislación israelita nunca proscribió la poligamia, pero sí introdujo algunas medidas, muy pocas, relacionadas con ese tipo de matrimonio. La ley levítica, de entre finales del siglo VIII y comienzos del siglo VII a. C., prohibió la unión del hombre con dos mujeres hermanas entre sí, como lo habían sido las esposas del patriarca Jacob: "No tomarás a la hermana de tu mujer para hacer de ella su rival". También prohibió la unión con una madre y su hija.

La ley deuteronómica (finales del siglo VII a. C.) intervino en un tema de muy alta sensibilidad para las familias polígamas: el reparto de la herencia. Estableció en concreto que los hijos de la esposa *amada* no tenían derechos especiales sobre los demás: "Cuando un hombre tenga dos mujeres, la una amada, la otra aborrecida, si la amada y la aborrecida le dieran hijos y el primogénito fuere el de la aborrecida, el día en que se distribuyan sus bienes entre sus hijos no podrá dar al hijo de la amada el derecho de primogenitura con preferencia al de la aborrecida, si éste es el primogénito [...]". El legislador toma como base un matrimonio bígamo, presumiblemente porque era la modalidad de poligamia más común en su tiempo. La existencia de esta ley pone de manifiesto que en los hogares con más de una esposa había un alto riesgo de que los favoritismos por una u otra mujer tuvieran consecuencias indeseadas en los derechos de los hijos.

El legislador deuteronómico intentó además limitar los desafueros conyugales de los monarcas: "Que [el rey] no tenga mujeres en gran número, para que no se desvíe su corazón". Probablemente pensaba en Salomón y sus mil mujeres, pero la norma también podía aplicarse a David, padre del anterior, cuyo reino se vio sacudido por crueles enfrentamientos familiares derivados de la poligamia.

El código legal del libro de Éxodo recoge una regulación muy específica para el caso de la muchacha israelita que era vendida por su padre a otro hombre como sierva y potencial concubina. Si el comprador decidía no tomar a la chica "que había destinado para sí" —es decir, si no la hacía su concubina—, le quedaba prohibido venderla a un extranjero. Debía permitir en cambio que algún miembro del clan familiar de la muchacha pagara por su libertad, conforme a la figura del *goel* que ya se ha citado con anterioridad. Si el comprador tomaba a otra mujer, no podía disminuir a la sierva su alimento, su ropa y sus derechos conyugales. Y si la destinaba a su hijo, debía tratarla como a una nuera. De no cumplirse estas exigencias, la muchacha podía recuperar la libertad sin pagar indemnización alguna.

El tempestuoso hogar de Jacob

Un vistazo a la familia de Jacob permite entender por qué la ley posterior prohibió la unión de un hombre con dos hermanas. Jacob, como ya se ha dicho, estaba casado con las hermanas Lía y Raquel. Pronto empezaron los problemas, porque Lía tuvo de arrancada cuatro hijos consecutivos —Rubén, Simón, Leví y Judá— mientras que Raquel no podía concebir. Cuenta la Biblia: "Raquel, viendo que no daba hijos a Jacob, estaba celosa de su hermana, y dijo a Jacob: 'Dame hijos o me muero'. Airóse Jacob contra Raquel y le dijo: '¿Por ventura soy yo Dios, que te ha hecho estéril?'. Ella le dijo: 'Ahí tienes a mi sierva Bala; entra a ella, que para sobre mis rodillas, y tenga yo prole por ella'". Jacob se acostó con la sierva Bala, que concibió y parió un hijo. "Dios me ha hecho justicia, me ha oído y me ha dado un hijo", dijo Raquel, y por ello lo llamó Dan. Jacob volvió a preñar a Bala y engendraron otro hijo. "Lucha de Dios luché con mi hermana, y la he vencido", dijo Raquel, evidenciando su obsesión contra Lía, y llamó al niño Neftalí. Pese a que había dejado de tener hijos, Lía no se cruzó de brazos y le dio en dos ocasiones su esclava Zelfa a Jacob, lo que añadió dos hijos más a la familia: Gad y Aser.

Los problemas no terminaron, ni mucho menos, ahí. Raquel quería a toda costa tener hijos de su propia sangre. Un día Rubén salió al campo y le trajo unas mandrágoras a su madre, Lía. Aunque el narrador no lo dice, el fruto tenía fama por sus supuestas propiedades afrodisíacas. "Dame, por favor, de las mandrágoras de tu hijo", pidió Raquel a su hermana. Lía le contestó presumiblemente iracunda: "¿Te parece poco todavía haberme quitado el marido, que quieres también quitarme las mandrágoras de mi hijo?". Raquel propuso un trato a su hermana: "Mira, que duerma esta noche contigo a cambio de las mandrágoras". Lía, que seguramente se encontraba semiolvidada por su marido, vio la posibilidad de estar nuevamente con él y aceptó. Cuando Jacob, ajeno a las componendas de sus esposas, llegó por la tarde del campo, Lía salió a su encuentro y le dijo: "Entra a mí, porque te he comprado por unas mandrágoras de mi hijo". Jacob no pareció necesitar más explicaciones: se acostó con Lía y tuvieron un hijo, al que su madre llamó Isacar. Después —no está claro si también lo preveía el acuerdo de las mandrágoras— volvió a yacer con ella y engendraron otro retoño. "Dios me ha hecho un don; ahora mi marido morará conmigo, pues le he dado seis hijos", dijo Lía, y llamó a su hijo Zebulón. Hubo un encuentro sexual más entre Jacob y Lía, del que nació una niña, Dina.

Entonces, prosigue el relato, Dios se acordó de Raquel y la hizo fecunda. Del papel que desempeñaron las famosas mandrágoras en este asunto nada se dice, aunque se presume. Raquel se acostó con su esposo y, por fin, pudo parir un hijo: José. Todo esto ocurrió en Padán Aram mientras

Jacob trabajaba para su tío Labán, padre de sus esposas. En el regreso a Canaán, Raquel dio a luz un último hijo, Benjamín, y murió tras el parto. El fallecimiento no apaciguó los ánimos en el hogar de Jacob. Poco después, Rubén, el primogénito, se acostó con Bala, una de las concubinas de su padre. Más tarde, José, el primogénito de Raquel e hijo más querido del patriarca, fue vendido por sus celosos hermanos a unos mercaderes y fue a parar a Egipto.

"¿Por qué lloras y no comes?"

El hogar de Elcana tampoco era un remanso de paz. El padre del profeta Samuel tenía dos esposas, a Ana y Penena. Ésta tenía hijos, pero la primera era estéril. Elcana subía cada año a Siló para ofrecer sacrificios a Dios, tras lo cual daba a Penena su porción y las de sus hijos, mientras que a Ana sólo le daba una porción, "pues, aunque la amaba mucho, Dios había cerrado su útero". Cuenta el narrador que Penena "irritaba" a Ana y la "exasperaba por haberla Yavé hecho estéril". Cada año, cuando se producía el reparto de los sacrificios, "la mortificaba del mismo modo". La situación debía de ser tan dura para Ana, que, según el relato, "lloraba y no comía". "Ana, ¿por qué lloras y no comes? ¿No soy yo para ti mejor que diez hijos?", intentaba consolarla su marido. Al final, tras mucho orar, "Elcana conoció a Ana, su mujer, y Yavé se acordó de ella"; en otras palabras, tuvo el ansiado hijo.

El infierno de la Casa de David

Si esos problemas se presentaban con sólo dos esposas, qué no podía ocurrir cuando había muchas más. Sobre todo si estaban en juego poderosos intereses dinásticos, como en el caso del rey David. La tragedia de la familia del segundo monarca de Israel fue de dimensiones colosales: uno de sus hijos, Amnón, violó a su medio hermana Tamar, y luego fue asesinado por el hermano carnal de la muchacha, Absalón. Éste intentó derrocar a su padre, y se acostó con sus concubinas. Posteriormente, fue asesinado por Joab, general del ejército de David. Betsabé, la preferida del rey, intrigó para que éste designara como su sucesor al hijo de ambos, Salomón, a pesar de que otro hijo del monarca, Adonías, tenía más legitimidad. Al final Salomón mandó matar a Adonías por pedirle que le diera por mujer a una concubina del difunto padre.

Concubinas. Las peloteras de Sara con Agar

Dentro de la poligamia, como se ha podido ver, había categorías. En primer lugar estaba la esposa, a la que el marido accedía mediante el pago del *mohar*. Luego estaba la concubina. Esta se adquiría originalmente como esclava o a través de otras vías, en particular las guerras, y su amo la utilizaba como objeto de satisfacción sexual o para procurarse descendencia. Cuando una mujer era estéril, solía entregar una esclava —por lo general la suya propia— a su marido para que le diese hijos a través de ella. Esta práctica, prevista ya en el Código de Hammurabi, del siglo XVIII a. C., se adelantaba en casi cuatro milenios a los modernos vientres de alquiler.

La Biblia no contiene ninguna norma que precise el estatus de la concubina. Al menos en determinadas circunstancias recibía el mismo tratamiento formal que su ama. El levita ya citado varias veces en este libro trata a su concubina de *esposa* y al padre de esta como *suegro*. En las genealogías bíblicas figuran los nombres de varias concubinas, lo que indica una voluntad del narrador por preservar sus nombres en la historia de Israel. Es probable que las concubinas que actuaran como procreadoras de reemplazo para sus amas mejorasen algo su situación en el hogar. Incluso que intentaran desplazar a la señora.

Después de quedar preñada del patriarca Abraham, la esclava Agar comenzó a mirar por encima del hombro a su ama, Sara. Ésta planteó el problema a su marido con palabras muy tajantes: "Mi afrenta sobre ti cae; yo puse mi esclava en tu seno, y ella, viendo que ha concebido, me desprecia. Juzgue Yavé entre tú y yo". Pese a que la esclava le pertenece, Sara ya no tiene potestad sobre ella para echarla libremente, pues ahora es concubina de su marido. Abraham prefirió abstenerse. "En tus manos está tu esclava, haz con ella como bien te plazca", dijo a su esposa. Sara trató mal a Agar, que huyó; pero más adelante regresó dispuesta a someterse de nuevo a la voluntad de su ama y dio a Abraham un varón, que recibió por nombre Ismael. Tiempo después, Dios permitió a Sara concebir, pese a que era anciana y había entrado en la menopausia. Con el alumbramiento de Isaac, Sara ya no quiso para sí el hijo habido a través de su esclava. En la fiesta del destete del niño, utilizando el argumento de que Ismael *se burlaba*, planteó tajantemente a Abraham: "Echa a esa esclava y su hijo, pues el hijo de una esclava no ha de heredar con mi hijo". Al patriarca se le hizo "muy duro por causa de su hijo" lo que le reclamaba su esposa, pero Dios lo convenció de que atendiera la petición. Por la mañana, Abraham dio pan y un odre de agua a Agar, y la despidió junto a Ismael. Más adelante, tras la muerte de Sara, Abraham tomó otra concubina, Quetura, con la que tuvo seis hijos. Poco antes de morir, el patriarca dio "todos sus bienes" a Isaac, mientras que a los hijos de las concubinas les "hizo donaciones" y los envió "hacia oriente" para alejarlos de Isaac.

El relato anterior muestra que Ismael, engendrado por una concubina para su ama, podía acceder a la herencia familiar, si bien esa posibilidad se frustró por las intrigas de

Sara. El nieto de Abraham, Jacob, sí incluyó en su testamento a los hijos que tuvo con Bala y Zelfa, esclavas de sus esposas, Lía y Raquel. El hecho de que éstas pusieran los nombres a los hijos de las esclavas en el momento de su nacimiento podría indicar alguna ceremonia de adopción. La genealogía de Abraham que figura en el libro primero de Crónicas parece confirmar que los hijos engendrados por las concubinas para sus amas gozaban de ciertos privilegios respecto a los demás hijos de concubinas. En la lista se ponen por separado los dos "hijos de Abraham" —Isaac e Ismael— y los seis "hijos de Quetura, concubina de Abraham".

Intentona golpista

Acostarse con la concubina de otro hombre significaba un desafío a su autoridad. Y yacer con la concubina de un monarca se interpretaba como una intentona golpista. De ahí las airadas palabras del rey Salomón, cuando su madre, Betsabé, le transmitió la petición de su medio hermano Adonías para que le diera a Abisag, la virgencita que había calentado en sus últimos días al rey David y que pertenecía ahora al harén del nuevo monarca. "¿Por qué me pides tú para Adonías a Abisag, la sunamita? Pide ya el reino para él, pues que es mi hermano mayor y tiene con él a Abiatar, sacerdote, y a Joab, hijo de Sarvia", responde Salomón. Su furia es comprensible: pese a que David había ungido como su sucesor a Salomón, Adonías tenía más legitimidad por razón de edad y contaba con el apoyo de dos importantes personalidades de la antigua corte de David. Hacerse con la concubina de David le serviría a Adonías para exhibir ante los israelitas una posición de fuerza frente a Salomón. El monarca, como era de prever, ordenó asesinar a Adonías.

La profanación del lecho de Jacob

La siguiente historia ocurrió mucho tiempo antes de la anterior, en la época de los patriarcas. Después de reconciliarse con su hermano Esaú, que le perdonó el robo de la bendición de primogenitura, Jacob recibió la orden de Dios de dirigirse a la ciudad de Betel y construir un altar. Al abandonar Betel murió su esposa Raquel, en el parto de su último hijo. La sepultó y prosiguió su camino hacia Hebrón. En un lugar llamado Migdal Eder plantó sus tiendas para descansar. Durante su estancia en esta región ocurrió un incidente muy grave que la Biblia cuenta de manera telegráfica: "Vino Rubén y se acostó con Bala, la concubina de su padre, y lo supo Jacob". Ahí quedó de momento la cosa. Pero más tarde, cuando Jacob imparte en el lecho de muerte las últimas instrucciones a sus hijos, dirige estas durísimas palabras a su hijo:

> Rubén, tú eres mi primogénito,
> mi fuerza y el fruto de mi primer vigor,
> cumbre de dignidad y cumbre de fuerza.
> Herviste como el agua. No tendrás la primacía
> porque subiste al lecho de tu padre.
> Cometiste entonces una profanación.

De acuerdo con la posterior ley levítica, Rubén y Bala debían haber sido lapidados. Pero, en el relato, Jacob castiga a su hijo quitándole el derecho de primogenitura. Basados en la significación que tenía acostarse con la concubina de otro hombre, algunos expertos conjeturan que el incesto de Rubén evoca una sublevación frustrada de la tribu rubenita para hacerse con el poder de la entonces incipiente alianza de Israel.

"A los ojos de todo Israel"

Absalón ocupaba el tercer lugar en la línea de sucesión del rey David. Sin embargo, su ambición de poder lo llevó a sublevarse contra su padre y a declararse monarca de Israel. El golpe tuvo éxito y David abandonó precipitadamente Jerusalén con una nutrida cohorte de servidores. Poco después, Absalón entró en Jerusalén y pidió al consejero Ajitófel que le indicara "lo que conviene hacer". Ajitófel, que antes de la revuelta había sido asesor de David, le dijo: "Entra a las concubinas que tu padre ha dejado al cuidado de la casa, y así sabrá todo Israel que has roto del todo con tu padre, y se fortalecerán las manos de cuantos te siguen". Lo que siguió lo cuenta así la Biblia: "Levantóse, pues, para Absalón una tienda en la terraza, y entró a las concubinas de su padre a los ojos de todo Israel".

Finalmente el golpe fue aplastado, Absalón cayó asesinado en la contienda, y David y sus huestes volvieron a Jerusalén. A su regreso, según informa el narrador bíblico, el rey "tomó a las diez concubinas que había dejado al cuidado de su palacio y las puso bajo guardia. Proveyó a su mantenimiento, pero no volvió a educarse a ellas, y así, recluidas, estuvieron hasta el día de su muerte, viviendo como viudas".

"¿Acaso soy una cabeza de perro?"

Años antes de sufrir la revuelta de Absalón, apoyó David una sublevación contra la dinastía del recién fallecido rey Saúl. Tras hacerse declarar rey de Judá, se enzarzó en una guerra civil con Isbaal, heredero de Saúl. En plena contienda, las cosas se torcieron a favor de David a raíz de un conflicto dentro de la corte de Isbaal: el jefe del ejército, Abner, se había acostado con Rizpa, la concubina de Saúl. "¿Por qué has entrado a la concubina de mi padre?", lo increpó Isbaal, intuyendo seguramente las motivaciones políticas de ese acto sexual. Abner respondió muy irritado: "¿Soy yo acaso hoy una cabeza de perro? Hasta hoy he favorecido yo a la casa de Saúl, tu padre, y a tus hermanos y amigos, y no te he puesto en manos de David; ¿y tú me recriminas hoy por causa de esa mujer?". Isbaal "no pudo responder a Abner palabra, porque le temía". Tras el altercado, Abner fue donde David y le ofreció una alianza para que reinase sobre todo Israel. Cuando el militar regresaba a su territorio con el pacto bajo el brazo, le salió al encuentro el jefe del ejército de David, Joab, y lo asesinó. Según el narrador, se trató de una venganza, pues Abner había matado en una batalla a Asael, hermano de Joab. Sin embargo, nuestra mente maliciosa se pregunta si Joab no buscaba además impedir que su rival adquiriera poder en la corte de David si se consumaba la alianza. El asesinato de Abner no evitó de todos modos que David se convirtiera en rey de Israel: dos "jefes de bandidos" se colaron en la casa de Isbaal y lo asesinaron mientras dormía en su lecho, tras lo cual llevaron su cabeza a David. Este les pagó como corresponde a unos traidores, eso sí, tras aprovecharse de su traición: ordenó matarlos, "cortándoles manos y pies y colgándolos junto a la piscina de Hebrón".

Capítulo IX
Matrimonios mixtos

"... no sea que tomes sus hijas para tus hijos"

En comparación con las naciones vecinas, los israelitas disponían de normas muy generosas de protección a los extranjeros residentes o de paso en su territorio. Otra cosa, sin embargo, era casarse con ellos. La lucha contra los matrimonios mixtos es una constante en la historia de Israel. La Biblia contiene numerosas leyes, advertencias, reflexiones e historias ejemplarizantes orientadas a impedir que los israelitas se unieran con gentes de otros pueblos y cayesen en la tentación de marcharse tras sus dioses. Una tentación siempre presente por el enorme contraste entre la vistosidad de los ritos paganos y la solemnidad austera del culto a Yavé. El castigo para el que se casara con extraños era la exclusión de su descendencia de la congregación de Israel, ya fuera por varias generaciones o para siempre. La *lista negra* de pueblos prohibidos fue variando según los avatares de la historia israelita, hasta que, a la vuelta del exilio babilonio (finales del siglo VI a. C.), abarcó a todos los extranjeros.

Los habitantes de Canaán a la llegada de los israelitas —jeteos, guergueseos, amorreos, cananitas, fereseos, jeveos y jebuseos— fueron el principal blanco del repudio. Esa animadversión la proyecta el autor bíblico hasta la época patriarcal, que antecede varios siglos a la conquista de Canaán. "Me pesa la vida a causa de las hijas de Jet; si Jacob toma mujer de entre las hijas de esta tierra, ¿para qué quiero vivir?", dice la matriarca Rebeca a su esposo Isaac, preocupada por el futuro de su hijo Jacob. El libro de Éxodo sintetiza esa posición con el siguiente mandato: "No pactes con los habitantes de esta tierra, no sea que al prostituirse ellos ante sus dioses, ofreciéndoles sacrificios, te inviten y comas de sus sacrificios, y tomes a sus hijas para tus hijos, y sus hijas al prostituirse ante sus dioses, arrastren a tus hijos a prostituirse también ellos ante sus dioses".

El código del Deuteronomio, de finales del siglo VII a. C., amplía ese rechazo a los habitantes de Amón y Moab, reinos enemigos de Israel situados al este del río Jordán, en territorio donde hoy queda Jordania. Según la Biblia, ambos pueblos eran *parientes* étnicos de los israelitas por descender de Lot, sobrino del patriarca Abraham. Pese a esa relación, la norma es contundente: "Ammonitas y moabitas no serán admitidos ni aún en la décima generación; no entrarán jamás, porque no vinieron a vuestro encuentro con el pan y el agua al camino, cuando salisteis de Egipto". Aunque las razones de tal abominación se hacen remontar a la muy antigua época del Éxodo (siglo XIII a. C.), quizá habría que buscar los motivos en sucesos que estaban ocurriendo en el momento de redactarse el Deuteronomio. En esa época, los ammonitas y moabitas eran enemigos encarnizados de los israelitas, e hicieron incursiones de pillaje en Jerusalén mientras las huestes babilonias de Nabucodonosor destruían el reino de Judá.

El legislador se muestra más benévolo con los edomitas (o idumeos) y los egipcios, al permitir que sus descendientes puedan pertenecer algún día a la congregación de Israel: "No detestes al edomita, porque es hermano tuyo; no detestes al egipcio, porque extranjero fuiste en su tierra; sus hijos, a la tercera generación, podrán ser admitidos en la asamblea de Yavé". Los edomitas eran *primos hermanos* de los israelitas. La Biblia los presenta como descendientes de Esaú. Este y Jacob —antepasado de las tribus que formaron la alianza de Israel— eran hijos de Isaac y nietos de Abraham. Es probable que, además de ese parentesco étnico, estuvieran en un inusual momento de paz con Israel en el momento de redactarse la ley. En cuanto a los egipcios, los israelitas mantenían con ellos una curiosa relación de amor-odio: por una parte eran el pueblo que los esclavizó, símbolo de horrores y humillaciones; por otra, eran el fértil país que los acogió en épocas de hambruna y donde José, hijo de Jacob, llegó a ser brazo derecho del faraón.

La ley deuteronómica no contiene ningún impedimento explícito a las uniones con las ismaelitas, de quienes se consideran descendientes los árabes. Cuenta la Biblia que Esaú, al ver que su padre no gustaba de las cananeas, quiso congraciarse con él y tomó por mujer a la ismaelita Majalat. También en este caso existían fuertes lazos de parentesco étnico: según la historia bíblica, Ismael fue el hijo del patriarca Abraham con la concubina Agar y, por tanto, era hermano de Isaac por parte de padre.

La Biblia recoge numerosas advertencias y relatos aleccionadores contra la unión con los filisteos, odiados vecinos de quienes siempre se recalca su condición de "incircuncisos". Al igual que los israelitas, los filisteos se establecieron en la tierra de Canaán hacia el siglo XII a. C., cuando ya estaban instalados en la región los cananeos, ammonitas, moabitas, edomitas y, por supuesto, los egipcios. "¿Acaso no hay mujeres entre las hijas de tus hermanos y entre todo tu pueblo para que vayas tú a tomar mujer de los filisteos incircuncisos?", dice la madre de Sansón cuando éste se enamora de una chica de Timna. Los filisteos se mantuvieron durante muchos años en constante guerra con los israelitas y llegaron a amenazar su supervivencia. Sin embargo, el rey David los doblegó a comienzos del siglo x a. C. y nunca volvieron a representar un peligro serio.

A la vuelta del exilio desapareció cualquier resquicio de tolerancia con los matrimonios mixtos: no sólo quedaron prohibidas en su totalidad esas uniones, sino que se obligó a los hombres ya casados con extranjeras a repudiar a sus mujeres e hijos. Los impulsores de esta cruzada de *purificación* étnica y religiosa fueron Esdras y Nehemías.

La cruzada de Esdras y Nehemías

Esdras y Nehemías eran descendientes de judíos deportados a Babilonia tras la caída de Jerusalén en 586 a. C. Cuando los persas derrotaron a los babilonios medio siglo después, permitieron a los cautivos israelitas volver a Judá y reconstruir su nación. Según en los datos que proporciona la Biblia, Nehemías llegó por primera vez a Jerusalén en 445 a. C. Sobre la fecha de la misión de Esdras subsisten algunas dudas. Unos expertos calculan que llegó a Jerusalén en 458 a. C.; otros opinan que lo hizo en 398 a. C., es decir, después de Nehemías.

Ni Nehemías ni Esdras eran unos *aparecidos*. El primero era copero del rey persa Artajerjes I, y consiguió que éste lo enviara a Jerusalén en calidad de gobernador de Judea. Por su parte, el sacerdote Esdras era un “escriba versado en la ley de Moisés”, con reconocimiento oficial en la corte persa, y acudió a Jerusalén con el encargo imperial de enseñar y hacer cumplir la “ley de Dios”.

Al llegar a Jerusalén, Nehemías se encontró con un panorama que le produjo una gran aflicción: muchos israelitas se habían casado con mujeres extranjeras, y éstas, en lugar de convertirse a la religión de Yavé, habían arrastrado a sus maridos tras sus dioses. Así lo cuenta el propio Nehemías:

"Vi asimismo por aquellos días judíos que habían tomado mujeres de Azoto, de Ammón y de Moab, cuyos hijos por mitad hablaban azoteo o la lengua de este o el otro pueblo, y no sabían hablar judío. Yo los reprendí y los maldije, hasta golpeé a algunos y les arranqué los pelos, y los conjuré en nombre de Dios, diciendo: 'No daréis vuestras hijas a sus hijos ni tomaréis sus hijas para vuestros hijos o para vosotros'. ¿No pecó por esto Salomón, rey de Israel? Aunque no hubo en la muchedumbre de las gentes rey semejante a él, que era amado de su Dios, y fue puesto por Dios rey sobre todo Israel, aun a él le hicieron pecar las mujeres extranjeras. ¿Vamos, pues, a consentir, sabiéndolo, que vosotros cometáis ese gran mal de prevaricar contra nuestro Dios tomando mujeres extranjeras?".

Cuando Esdras arribó a Jerusalén recibió de los jefes de la congregación un informe similar: "El pueblo de Israel, los sacerdotes y levitas no han estado apartados de las gentes de esta tierra, e imitan sus abominaciones, las de los canaaneos, jeteos, pereceos, jebuseos, ammonitas, moabitas, egipcios y amorreos; pues han tomado de entre ellos mujeres para sí y para sus hijos, y han mezclado su raza santa con la de las gentes de esta tierra. Los jefes y magistrados han sido los primeros en cometer este pecado". Tras escucharlos, Esdras rasgó sus vestiduras y se arrancó cabellos de la cabeza y de la barba, presa de la desolación.

En un ambiente de intenso dolor quizá exagerado por el narrador bíblico —Esdras oraba llorando ante la Casa de Dios, el pueblo lloraba copiosamente—, un miembro de la congregación llamado Secanías dijo al escriba: "Hemos pecado contra Dios tomando mujeres extranjeras de entre los pueblos de esta tierra, pero Israel no queda por esto sin esperanza. Hagamos pacto con nuestro Dios de echar a todas esas mujeres y a los nacidos de ellas, según el parecer de mi señor y de cuantos temen los mandamientos de nuestro Dios, y que se cumpla la Ley. Levántate, pues, ya que esto cosa es. Nosotros seremos contigo. Ten valor, y a la obra".

Esdras no se hizo de rogar. Conseguida la unanimidad del pueblo para llevar adelante el programa de *purificación*, se creó una especie de tribunal integrado por los jefes de familia para examinar uno a uno los matrimonios. Al cabo de tres meses de trabajo el tribunal identificó a 27 sacerdotes o levitas y 83 personas del pueblo casados con mujeres extranjeras. Los *culpables*, cuyos nombres figuran en el libro de Esdras, cumplieron lo pactado y despidieron a sus esposas y a sus hijos. Resulta difícil entender que esa cifra de matrimonios mixtos, sobre una población total de unas cincuenta mil personas, provocara tal alarma en Esdras, a menos que sólo se hubieran divulgado, a modo ejemplarizante, los nombres de los miembros más relevantes de la congregación que se habían *descarriado*.

¿Un libro contra la intolerancia?

De esta época de fanatismo podría datar el libro de Rut, al que nos hemos referido en numerosas ocasiones y que cuenta cómo una muchacha moabita logra ingresar en la congregación de Israel. Algunos expertos sostienen que la obra la escribió alguien interesado en contrarrestar la reforma de Esdras con el mensaje de que los matrimonios mixtos no son censurables si las esposas extranjeras abrazan la fe de Yavé.

El desconocido narrador hace remontar el relato al tiempo de los jueces, siete siglos antes, pero la mayoría de los expertos dan hoy por sentado que se trata de una ficción literaria. Argumentan que entre el libro de Jueces y el de Rut existen grandes diferencias lingüísticas y temáticas. El primero está cargado de rudeza, como corresponde a una época primitiva y bárbara, mientras que el segundo es un delicioso idilio de campiña.

Cuenta el libro de Rut que, durante una hambruna en Judá, un hombre de Belén llamado Elimélec se marchó con su mujer, Noemí, y sus dos hijos, Majlón y Kilyón, al vecino país de Moab. Elimélec murió, y los muchachos se casaron con las moabitas Orpá y Rut, respectivamente. Más adelante murieron Majlón y Kilyón, sin dejar descendencia, y Noemí y sus dos nueras quedaron solas. Finalizada la hambruna, Noemí decidió regresar a Judá. En el camino recomendó a sus nueras que volvieran a Moab, para que pudiesen rehacer sus vidas. Orpá le hizo caso. Pero Rut decidió permanecer al lado de su suegra, pronunciando las famosas palabras que han pasado a la historia como expresión suprema de lealtad:

> Donde vayas tú, iré yo;
> donde mores tú, moraré yo;
> tu pueblo será mi pueblo
> y tu Dios será mi Dios.

Rut, como ya se ha contado, consiguió casarse con el rico hacendado Boz. Para redondear su mensaje pro-tolerancia, el narrador pone en boca de Boz las siguientes palabras laudatorias al conocer a la muchacha moabita: "Sé lo que has hecho por tu suegra después de muerto tu marido y que has dejado a tus parientes y la tierra en que naciste para venir con ella a un pueblo para ti desconocido. Que Yavé te pague lo que has hecho y recibas cumplida recompensa de Yavé, Dios de Israel, a quien te has confiado y bajo cuyas alas te has refugiado".

El relato concluye con una breve genealogía en la que Obed, el hijo de Boz y Rut, figura como abuelo del rey David. El autor del libro de Crónicas aceptó ese linaje, quizá porque ya estaba muy arraigado en la tradición como para borrarlo de un plumazo, pero en *su* árbol genealógico de David no cita en ningún momento el nombre de Rut. ¿Una omisión involuntaria? Probablemente no. Según numerosos expertos, el autor de Crónicas es el mismo que redactó los libros de Esdras y Nehemías. Una persona así, identificada con la causa de la *purificación* nacional, no querría dejar constancia para la posteridad de que una moabita, perteneciente al pueblo del abominable dios Quemosh, fue bisabuela del monarca más grande de la historia de Israel.

Resulta divertido imaginar el librito de Rut circulando clandestinamente por las calles de Jerusalén como un panfleto en favor de la tolerancia en los días en que el gobernador Nehemías y el escriba Esdras atacaban con furor los matrimonios mixtos. Fuera o no así, quiso el destino que, hacia el año 100 de la era cristiana, el libro de Rut y los de Esdras y Nehemías terminaran formando parte de una misma obra, cuando los rabinos congregados en Yavne establecieron oficialmente el canon hebreo del Antiguo Testamento. Ambos textos conviven desde entonces en la sección de *Escritos* (*Ktuvim*), que agrupa los libros más tardíos de la Biblia judía. El canon cristiano, sin embargo, acepta la pretendida antigüedad del libro de Rut y coloca la obra a continuación de Jueces.

José y la hija del sacerdote egipcio

Antes de la cruzada de Esdras y Nehemías, la mayoría de los personajes más relevantes de la historia israelita aparecen unidos a mujeres extranjeras.

José, penúltimo hijo del patriarca Jacob, había sido vendido por sus envidiosos hermanos a un grupo de mercaderes que se dirigían a Egipto. Pasado un tiempo, el joven se convirtió en la segunda persona más poderosa del imperio del Nilo gracias a sus prodigiosas dotes de interpretador de sueños. "Tú serás quien gobierne mi casa, y todo mi pueblo te obedecerá; sólo por el trono seré mayor que tú", le dijo el faraón, después de que el joven israelita le descifrara los famosos sueños de las siete vacas flacas que se comen a las siete gordas y de las siete espigas secas que consumen a las siete espigas henchidas. A continuación le cambió el nombre por el de Safnat Panéai y le dio por mujer a Asnat, hija de Poti-Fera, sacerdote de On. José tuvo con ella dos hijos, Manasés y Efraím, y murió rodeado de gloria en Egipto a la edad de ciento diez años.

José no recibe ninguna crítica por su matrimonio con Asnat, y ello es comprensible, ya que se encontraba en tierra extraña tras haber sido apartado a la fuerza de su clan. Además, el matrimonio con egipcias debió de gozar hasta los tiempos de Esdras de cierta tolerancia, ya que la ley deuteronómica permitía a los descendientes de esa unión entrar en la congregación de Israel en la tercera generación. Pero hay una razón adicional para tan complaciente trato hacia José, y es que la historia pertenece a la fuente *E*, que escribió su obra en el reino norteño de Israel antes de su destrucción en 722 a. C. En ese reino desempeñó un papel predominante la tribu de Efraím, que remontaba su ascendencia al hijo menor de José y la egipcia Asnat. Un historiador del norte no iba, por tanto, a arrojar piedras contra su propio árbol genealógico censurando el matrimonio mixto de José.

Moisés y la hija del sacerdote madianita

Moisés, el gran caudillo que sacó a los israelitas de Egipto y los condujo hasta la Tierra Prometida, también se unió a una mujer perteneciente a otro pueblo. Moisés había sido adoptado a los tres meses de edad por la hija del faraón, que lo encontró en una cesta de papiro en la ribera del Nilo. Pese a formarse como egipcio, tenía conciencia de ser hebreo, porque su propia madre le había servido de nodriza sin que la princesa tuviera conocimiento de ese lazo familiar. Siendo ya adulto, Moisés asesinó a un egipcio que maltrataba a un hebreo y huyó a Madián, donde se casó con Séfora, una de las siete hijas del sacerdote local Jetro. La historia de su matrimonio la cuenta en el libro de Éxodo la fuente *J*—producida en el reino sureño de Judá más o menos por la misma época en que la fuente *E* actuaba en el reino norteño de Israel—, y no hay en ella ningún tono de reproche. Sin embargo, ese matrimonio traerá cola más adelante.

El libro de Números recoge un extraño episodio ocurrido durante el trayecto hacia Canaán. Cuenta el narrador que María y Aarón murmuraban de su hermano Moisés "por la mujer cusita que había tomado". De ahí pasaron a cuestionar que Dios sólo hablase con Moisés y no con ellos. Dios descendió entonces en una nube de humo y, en un acceso de ira, dejó a María "cubierta de lepra, como la nieve". Moisés intercedió por su hermana, y Dios puso como condición para sanarla que fuese echada del campamento durante una semana.

El relato no precisa el motivo del malestar de Aarón y María contra su cuñada. Tampoco aclara si la *cusita* es una segunda mujer de Moisés de origen etíope o si se trata de Séfora, la madianita. Esta duda obedece a que la Biblia identifica a Cus con Etiopía, pero también menciona una región denominada Cusán, perteneciente a Madián, de donde era oriunda Séfora. Cabe además la posibilidad de que Séfora tuviera la tez oscura, y que sus cuñados, al llamarla cusita, estuvieran aludiendo por partida doble a su origen madianita y a su piel de etíope. En este caso tendría un sentido irónico y muy aleccionador el castigo de Dios al dejar blanca como la nieve a María tras sus comentarios racistas sobre el color de Séfora.

El relato es obra de la fuente *E*, perteneciente al círculo sacerdotal de Siló, ciudad del reino norteño de Israel. Este sacerdocio se consideraba descendiente de Moisés y rivalizaba con el círculo aarónida, que había tomado el poder sacerdotal en Judá. Para el autor *E* nunca estaba de más introducir un pasaje en el que Aarón resultara reprendido por Dios.

Más adelante, cuando los israelitas se encuentran en Moab a punto de entrar en la Tierra Prometida, ocurre un curioso episodio que cuenta la Biblia sin ningún preámbulo, como traído por los pelos. Estaba el pueblo de Israel llorando a causa de una terrible plaga a las puertas de la Tienda del Encuentro, cuando un miembro de la congregación introdujo en el recinto sagrado a una madianita "a los ojos mismos de Moisés" y en presencia de toda la comunidad. Entonces un nieto de Aarón llamado Finés tomó una lanza, se fue tras el profanador hasta la parte posterior de la tienda y lo mató junto a la mujer, tras lo cual cesó la plaga, que dejó veinticuatro mil muertos. Al final del pasaje, Yavé dice a Moisés que Finés ha sido el guardián de su honor y ordena que como recompensa se le otorgue a perpetuidad el sacerdocio de Israel a él y a sus descendientes.

El episodio pertenece a la fuente *P*, del círculo de los sacerdotes aarónidas de Jerusalén. Dicha fuente surgió como una reacción a la fuente *E*, y su gran héroe es Aarón. El mensaje del relato es muy claro: el israelita ha cometido una abominación por presentarse en la Tienda del Encuentro con una madianita —la esposa de Moisés también lo era— y la persona que venga la afrenta no es Moisés, quien adopta una actitud pasiva durante los hechos, sino un nieto de

Aarón. Así, en un par de párrafos, el narrador lanza un *puyazo* a Moisés por su mujer extranjera (sin atreverse a atacarlo directamente, porque a fin de cuentas se trata de una figura respetada por todas las tribus) y legitima históricamente la supremacía sacerdotal de los aarónidas.

Las mujeres de Salomón

En la época de los reyes, éstos solían tomar mujeres extranjeras por razones de diplomacia y estrategia política. Entre las esposas del rey David se encontraba Macaá, hija del rey de Guesur. Salomón, sucesor de David, tuvo en su harén mujeres moabitas, ammonitas, edomitas, sidonias y jeteas, además de la hija del faraón. Acab, séptimo monarca del reino del norte, se casó con Jezabel, hija de Etbal, rey de los sidonios.

En el libro primero de Reyes, los tres monarcas son severamente juzgados. A David no se le reprende por haber tomado una extranjera, sino por su adulterio con Betsabé. En cambio del rey Salomón se dice que, en su ancianidad, "sus mujeres arrastraron su corazón hacia los dioses ajenos; y no era su corazón enteramente de Yavé, su Dios, como lo había sido el de David, su padre; y se fue Salomón tras de Astarté, diosa de los sidonios, y tras de Milcom, abominación de los ammonitas; e hizo Salomón el mal a los ojos de Yavé, y no siguió enteramente a Yavé". De Acab se cuenta que "hizo mal a los ojos de Yavé, más que todos cuantos le habían precedido; y como si fuese todavía poco darse a los pecados de Jeroboam, hijo de Batbat, tomó por mujer a Jezabel, hija de Etbal, rey de Sidón, y se fue tras Baal, le sirvió y se prosternó ante él. Alzó a Baal un altar en la casa de Baal, que edificó en Samaria, hízose además una aserá, haciendo más que cuantos reyes le precedieron para provocar la ira de Yavé".

Los libros de Crónicas, que hacen una recapitulación de la historia de Israel, omiten el *pecado* de Salomón con las extranjeras. Tan sólo mencionan de pasada a la hija del faraón, y recalcan que Salomón la sacó a vivir fuera de la Ciudad de David "porque los lugares en que ha estado el arca de Yavé son sagrados". A diferencia del libro de Reyes, que presenta a Salomón edificando altares a los dioses de sus mujeres, en Crónicas aparece como un rey piadoso que ofrecía holocaustos a Yavé.

¿A qué se deben versiones tan distintas sobre Salomón? Los libros de Reyes pertenecen a la fuente *D* o Deuteronomista, que escribió el grueso de su obra poco antes de la caída del reino de Judá en 586 a. C. Al igual que el muy anterior narrador *E*, el autor *D* simpatizaba con el viejo círculo sacerdotal de Siló, ciudad del reino norteño de Israel, destruido ciento cuarenta años antes por los asirios. Al escribir su historia particular de la monarquía, *D* —a quien algunos estudiosos identifican con el profeta Jeremías— manifiesta una abierta antipatía hacia el rey Salomón, porque éste rompió la política de equilibrios de su padre David durante la época de la monarquía unificada y expulsó al sacerdote norteño, Abiatar. Tampoco siente *D* afecto hacia su coterráneo Acab ni, en general, hacia los monarcas que tuvo el reino del norte tras la división, porque nunca reconocieron al grupo de sacerdotes de Siló la autoridad en materia religiosa que éstos reclamaban.

Por el contrario, los libros de Crónicas, escritos hacia finales del siglo IV a. C., son obra de alguien afín al círculo sacerdotal aarónida. Los aarónidas sienten hacia Salomón una simpatía inocultable, por la misma razón por la que la fuente *D* lo detesta: porque fue el rey que expulsó al sacerdote norteño Abiatar, quedando desde entonces el sacerdocio de Jerusalén en manos exclusivas de los aarónidas.

Mujeres israelitas con extranjeros

En la Biblia destacan tres mujeres israelitas que se casaron con extranjeros. La primera es Abigail, hermana de David. De su unión con el ismaelita Jitro nació Amasá, que sería durante un tiempo jefe de los ejércitos del reino de Israel antes de caer asesinado por su primo Joab, hijo de otra hermana de David. La segunda es Betsabé, mujer del soldado jeteo Urías, a quien el rey David ordenó eliminar tras dejar embarazada a su bella esposa. La tercera, y la más famosa por el lugar que ocupa hasta el día de hoy en la literatura del pueblo judío, es Ester.

Ya hemos visto cómo esta muchacha judía de la ciudad de Susa se convirtió en esposa del emperador persa Asuero tras ganar un concurso de belleza. Pero la historia no terminó allí, ya que las circunstancias obligarían a Ester a asumir un papel trascendental y de muy alto riesgo en la salvación de su pueblo. Las cosas empezaron a complicarse cuando el visir Amán, el segundo hombre más importante del imperio, informó a Asuero de que en su vasto territorio había un pueblo desobediente y remiso al que convenía exterminar. Se refería al pueblo judío. Una vez consiguió la autorización real para perpetrar el genocidio, Amán echó el *Pur* (palabra de origen asirio que significa *suerte*) con el fin de conocer el día más propicio para la matanza. Ese día resultó el 13 de Adar, que cae de forma variable en febrero o marzo de nuestro calendario.

Aislada del mundo exterior en el harén, Ester se enteró del inminente holocausto por sus doncellas y eunucos. Utilizando al eunuco Hatac como intermediario, pidió información a su primo Mardoqueo. Éste le confirmó la noticia y le pidió que intercediera ante el monarca para que revocara el edicto de exterminio. Ester le mandó decir que la cosa no era tan fácil, pues cualquier persona que se presentase ante el rey sin ser llamada era condenada a muerte. Mardoqueo insistió: "¿Quién sabe si no es precisamente para un tiempo como éste para lo que tú has llegado a la realeza?". Al final, Ester asumió la responsabilidad de salvar a su pueblo. Temerosa de su destino, pidió a Mardoqueo que reuniera a todos los judíos de Susa y rogasen por ella: "Ayunad por mí, sin comer ni beber por tres días, ni de noche ni de día. Yo también ayunaré igualmente con mis doncellas, y después iré al rey, a pesar de la ley, y si he de morir, moriré".

Al tercer día, Ester se atavió con sus vestiduras reales y se presentó ante el rey. Y ocurrió el milagro. En vez de ordenar su ejecución, Asuero puso el cetro de oro sobre su cuello, y le dijo: "¿Qué tienes, reina Ester, y qué es lo que quieres? Aunque fuera la mitad de mi reino, te sería otorgada". Ester le pidió que asistiera junto a Amán a un banquete que les había preparado para ese mismo día. En el curso de la comida, el rey volvió a preguntar a Ester qué quería de él, y ella se comprometió a responderle en un nuevo ágape que ofrecería al día siguiente. Durante el banquete, el monarca preguntó de nuevo a su esposa qué deseaba. Entonces Ester pidió al rey Asuero que los librara a ella y a su pueblo de ser exterminados. Asuero le preguntó quién tenía pensado cometer semejante iniquidad. Al parecer no recordaba que él mismo había dado su beneplácito. "El opresor, el enemigo, es Amán, ese malvado", le contestó Ester.

El rey abandonó el banquete lleno de ira y salió a pasear por el jardín. Amán se quedó con la reina Ester para suplicarle por su vida, porque se temía lo peor. Cuando el monarca regresó, Amán se encontraba tumbado en el lecho donde se hallaba Ester, y ello aumentó aún más la furia del monarca. "¡Qué! ¿Será que pretende también hacer violencia a la reina en mi casa, en el palacio?", dijo.

El rey ordenó colgar a Amán en la misma horca que tenía preparada en su casa para ejecutar a Mardoqueo y revocó el edicto de exterminio. Para dar más seguridad a los judíos, les permitió "destruir, matar y exterminar" a quienes intentaran hacerles daño. El día 13 de Adar, fecha fijada por Amán para la matanza de los judíos, fueron éstos quienes mataron en masa a sus enemigos, entre ellos a los diez hijos del malogrado visir. La ofensiva de los judíos prosiguió al día siguiente en las provincias del imperio y hasta el día 15 en la capital, Susa. Su venganza se cobró más de 75.000 vidas. Mardoqueo, convertido en protegido del rey, ordenó a los judíos celebrar la liberación del exterminio todos los años los días 14 y 15 de Adar. Los judíos de todo el mundo siguen celebrando la fiesta de *Purim* (de *Pur*, suerte) hasta el día de hoy. Es una especie de carnaval, en el que se exalta la acción heroica de Ester y Mardoqueo, y se hacen ruidosas burlas cuando el cantor de la sinagoga pronuncia la palabra Amán. En cuanto al esposo extranjero de Ester, el rey Asuero, se le evoca con enorme gratitud.

El libro de Ester es uno de los más tardíos de la Biblia. Parece razonable datar su redacción en torno al año 160 a. C., poco después de la feroz campaña helenizadora del rey seléucida Antíoco Epifanes contra los judíos, aunque recibió adiciones posteriores en griego. La última pudo hacerse hacia el año 114 a. C., si se tiene en cuenta una apostilla que reza: "En el año cuarto del reinado de Tolomeo y de Cleopatra [...]". Es posible que el autor del libro de Ester haya pretendido animar a las víctimas de la persecución de Antíoco Epifanes con el mensaje de que al final, pese a los infortunios, el pueblo judío siempre sale adelante. Para no contrariar a las autoridades seléucidas, el narrador situó los hechos, sin duda inventados, en un contexto histórico muy anterior en el tiempo: los expertos identifican a Asuero con

Jerjes I, que reinó en el imperio persa del año 486 al 465 a. C. Es lo que hacen muchos escritores durante las tiranías: denunciarlas con astucia, situando el escenario en otro tiempo o lugar para evitar la furia de los censores.

Sansón y Dalila: un mito solar

En el período primitivo de los jueces aparece un héroe bastante singular: Sansón. Su tribu, Dan, había recibido en el reparto de Canaán posterior a la conquista un territorio colindante con la nación de los filisteos. La pintoresca figura de Sansón nada tiene que ver con las de Barac, Jefté, Gedeón y el resto de jueces israelitas. Sansón es una especie de Hércules que lucha en solitario, con métodos rudimentarios y utilizando su descomunal fuerza bruta. Sólo parece tener una gran debilidad: las muchachas filisteas. Se casó con una, en Timna, pero el matrimonio no llegó a consumarse a raíz de una trifulca que mantuvo con los invitados. Después se acostó con una prostituta filistea. Y más adelante se enamoró de Dalila, que sería su perdición.

Oriunda del valle de Sorec, Dalila recibió instrucciones de los príncipes filisteos para que sonsacara a Sansón el secreto de su fuerza portentosa. En tres ocasiones, Sansón le mintió. Le dijo sucesivamente que quedaría sin fuerzas si lo amarraba con siete cuerdas húmedas, si lo ataba con siete cuerdas nuevas y si entretejía las siete trenzas de su cabeza y las fijaba con una clavija de tejedor. Las tres veces, cuando Dalila lo ponía a prueba con el grito de "¡Los filisteos sobre ti!", Sansón se desprendía con facilidad de sus ataduras. "¿Cómo puedes decir que me quieres cuando tu corazón no está conmigo?", le reclamó Dalila.

Cuenta la Biblia que la filistea importunó de tal modo a Sansón para que le revelase su secreto que le llegó a "producir un tedio de muerte". Finalmente, el héroe israelita "le abrió de par en par su corazón" y le confesó: "Nunca ha tocado la navaja mi cabeza, pues soy nazareo de Dios desde el vientre de mi madre. Si me rapasen perdería mi fuerza, quedaría débil y sería como todos los otros hombres". Dalila intuyó que esta vez no le mentía. Llamó a los príncipes filisteos para que tomaran posiciones con el fin de entrar en acción, y ellos le llevaron el dinero de pago por sus servicios. Tras dormir a Sansón sobre sus rodillas, Dalila hizo entrar en la alcoba a un hombre, que cortó con tijeras las siete trenzas del israelita. En el momento convenido entraron los demás hombres, que redujeron con facilidad a Sansón, le arrancaron los ojos y lo condujeron a Gaza, donde fue sometido a crueles humillaciones.

Más adelante, los príncipes filisteos celebraron una multitudinaria fiesta en honor del dios Dagón y mandaron traer a Sansón para divertirse a costa suya. El desvalido héroe pidió un último favor a Dios: que le diera fuerzas para derribar la casa donde se celebraba la fiesta. Dios lo escuchó. Apoyado en las dos columnas principales, Sansón presionó con sus brazos al grito de "¡Muera yo con los filisteos!" y la casa se vino abajo. Junto a él perecieron unas tres mil personas, "siendo los muertos que hizo al morir más que los que había hecho en vida".

La historia de Sansón y Dalila entronca con antiquísimos mitos solares de Oriente. El nombre hebreo de Sansón es *Shimshón*, palabra relacionada con *shemesh* (sol). El de Dalila es *Dlila*, derivada de *laila* (noche). El relato presenta a Sansón como nazareo, especie de asceta consagrado a Dios que, entre otras singularidades, no podía cortarse el pelo ni afeitarse. Este dato refuerza aún más el mito solar, ya que el rostro de Sansón, con sus siete trenzas y su barba luenga, se asemejaría a un sol de potentes rayos. Tras un intenso tira y afloja, la persistente Dalila consiguió que perdiera el cabello y, por tanto, la fuente de su poder. Era el triunfo de la noche sobre el día.

Durante sus años de conflictiva vecindad con los filisteos, es probable que la tribu de Dan utilizara el argumento del mito solar para crear la leyenda de un héroe propio. Posteriormente, el autor del libro de Jueces pudo recoger la historieta para aleccionar sobre los peligros que implica la unión con extranjeras. El narrador, sin embargo, no se muestra implacable con Sansón. Lo describe como un hombre irresponsable, enamoradizo, impetuoso, pero tocado por la divinidad, que, así como pierde la cabeza por las muchachas filisteas, inflige duros castigos a ese pueblo tan odiado por los israelitas. Más que censurar a Sansón por su vida disoluta con las extranjeras, el autor parece sentir por el personaje cierta simpatía y, al final, una mezcla de piedad y admiración.

Capítulo X
El acto sexual

❦

Bueno, pero impuro

El Antiguo Testamento ofrece una visión ambivalente del acto sexual. Por una parte, lo presenta como algo bueno y gozoso, siempre que se practique dentro del matrimonio. Cuando Dios anunció al anciano Abraham que iba a tener un hijo, la mujer del patriarca, Sara, se rió para sus adentros y dijo: "¿Cuando estoy ya consumida, voy a remocear ('tener placer', en el original hebreo), siendo ya también viejo mi señor?". Aunque en la Biblia la finalidad del sexo es la reproducción —"Procread y multiplicaos" es lo primero que dice Dios a los seres humanos—, las palabras de Sara ponen de manifiesto que en el sexo tenía cabida el disfrute. Los escritos sapienciales contienen invitaciones a la sensualidad dentro de la vida conyugal. "Embriáguente siempre sus amores, y recréente siempre sus caricias", dice el autor de los Proverbios al joven casado en alusión a su esposa. El ejemplo por excelencia de esta percepción de la sexualidad lo constituye el Cantar de los Cantares, himno talámico que representa a una pareja de desposados entregados a un delicioso juego erótico y al que se dedica un capítulo completo en este libro.

Pero el sexo se presenta al mismo tiempo como un fenómeno plagado de misteriosas fuerzas que provoca la impureza transitoria de quienes se acercan a él. La pareja que hiciese el amor debía lavarse en agua y quedaba impura hasta la tarde (que era cuando comenzaba el día siguiente para los israelitas). El mismo mandato se aplicaba al hombre que tuviese una simple efusión de semen. Los eventos o ceremonias de carácter religioso exigían al participante un período previo de contención sexual. "Aprestaos durante tres días y nadie toque mujer", ordena Moisés a su pueblo para que reciba los Diez Mandamientos. En el libro primero de Samuel, el hambriento David, antes de convertirse en rey, llega con sus seguidores a la ciudad de Nob y pide algo de comer al sacerdote Ajimélek. Este le responde: "No tengo a mano pan ordinario; pero hay pan santo, siempre que tus mozos se hayan abstenido de trato con mujeres". La consideración del hecho sexual —fuera este una cópula o una polución nocturna— como una impureza se extendía a la esfera de lo militar. "Si hubiera alguno impuro por accidente nocturno, sálgase fuera del campamento y no entre hasta que, al caer la tarde, se bañe en agua. A la puesta del sol podrá entrar en el campamento", establece la ley.

Al margen de estas normas de purificación, los legisladores también establecieron una larga serie de prohibiciones sexuales. Un hombre no podía copular con una serie de parientes, como se explica en el capítulo sobre el incesto. Tampoco podía hacerlo con dos mujeres que fuesen hermanas entre sí, o con una mujer junto a su hija o su nieta. Asimismo, se prohibía, so pena de muerte, la homosexualidad y el bestialismo. Acostarse con una mujer con la regla se castigaba con la expulsión de la congregación. La actividad sexual fuera del matrimonio se consideraba una *prostitución*. Los traductores lo denominan *fornicación*. El hombre, casado o soltero, que se acostara con la mujer de otro hombre era condenado a muerte junto a la adúltera. Si violaba o seducía a una joven soltera, la ley lo obligaba a casarse con ella. Cuando una muchacha soltera mantenía por voluntad propia relaciones prematrimoniales y se casaba ocultando su falta de virginidad, el marido, si descubría el engaño en la noche de bodas, podía reclamar su lapidación. Mientras que la mujer casada se enfrentaba a la pena de muerte si se acostaba con otro hombre, su marido disponía de cierto margen de actuación sexual libre de castigo: podía acudir donde las prostitutas o tomar más esposas o concubinas.

Algunos expertos sostienen que la abundancia de regulaciones sexuales de la Biblia, sobre todo las que establecen la impureza pasajera del acto sexual, formaban parte del esfuerzo de los israelitas por construir una identidad nacional-religiosa bien diferenciada de los pueblos vecinos. Frente a las cosmogonías de otras naciones, en las que los dioses copulaban e inspiraban ritos vistosos de fecundidad, los israelitas despojaron el coito de cualquier envoltorio de santidad. Lo asumieron como un acto estrictamente humano y, como tal, impuro.

La cópula

"Conoció el hombre a su mujer, que concibió y parió a Caín". Con esta frase escueta se describe por primera vez un acto sexual en la Biblia. Adán y Eva acababan de ser expulsados del Paraíso por comer del fruto prohibido. No se sabe si la primera pareja llegó a mantener relaciones sexuales cuando aún vivía en el Edén. La Biblia nada informa al respecto. Sin embargo, nada tendría de raro que lo hubiesen hecho, si se considera que el propio Dios los había animado a procrear y multiplicarse. Después de engendrar al primogénito, Adán y Eva tuvieron a Abel. Más adelante "conoció de nuevo Adán a su mujer" y nació Set. ¿Cuántas veces más copuló la primera pareja? No se sabe. La Biblia se limita a decir que, después del nacimiento de Set, Adán vivió ochocientos años "y engendró hijos e hijas".

Los narradores bíblicos utilizan tres expresiones para el coito: *conocer, venir* (*entrar*, según algunas traducciones) y *acostarse*. La primera refleja una actitud en cierto modo trascendental ante el sexo: Adán *conoció a Eva*. La segunda pone el énfasis en la descripción física de la cópula: el patriarca Abraham *entró* en la esclava Agar. La última hace referencia a la postura, en este caso horizontal: el rey David *se acostó* con Betsabé, la mujer del soldado Urías.

Los autores bíblicos son muy lacónicos al describir el acto sexual. Una excepción notable la constituye el Cantar de los Cantares, donde el vibrante diálogo entre los amantes parece describir el instante supremo de la cópula. "Levántate, cierzo; ven, austro. Oread mi jardín, que exhale sus aromas. Venga a su huerto mi amado a comer de sus frutos exquisitos", dice la novia. Su amado responde: "Voy a mi jardín, hermana mía, esposa, a coger de mi mirra y de mi bálsamo, a comer mi panal y mi miel, a beber de mi vino y de mi leche". Y el poeta exclama con alborozo: "Comed, colegas míos, y bebed, y embriagaos, amigos míos".

Lo habitual era que el sexo se practicase de noche, a oscuras, costumbre quizá relacionada con la idea de impureza que acompañaba a la sexualidad o con una visión negativa de la desnudez. Aprovechándose de la nocturnidad, Labán pudo engañar a Jacob, introduciéndole en la tienda a su hija Lía cuando el compromiso era entregarle a Raquel. Sólo al día siguiente, después de haber yacido con Lía, Jacob se dio cuenta del engaño. Otro relato muestra a las hijas de Lot esperando la noche para emborrachar a su padre y conseguir que las preñara. Habrían podido ejecutar su plan durante el día sin mayores problemas, ya que moraban en el monte, lejos de la civilización, y nadie las iba a sorprender. No obstante, prefirieron aguardar la oscuridad.

De las posturas en el acto sexual nada se informa, al menos de modo explícito. Sin embargo, en la versión hebrea de la Biblia, las palabras pronunciadas por la hija mayor de Lot antes de tomar la determinación de yacer con su padre parecen sugerir algo al respecto. "Nuestro padre es viejo y no hay hombre en la tierra que venga sobre nosotras como es costumbre en la tierra", dice la muchacha. Ese "sobre nosotras", que las Biblias cristianas suelen traducir por "se una a nosotras", podría aludir a una posición de *misionero,* es decir, el hombre encima de la mujer. La tradición rabínica más antigua consideraba esta postura como la adecuada para practicar el sexo. En el Génesis Rabbá, *midrash* compilado en el siglo v en Palestina, se cuenta que, antes de Eva, hubo una primera mujer llamada Lilit, de naturaleza perversa. Adán nunca logró entenderse sexualmente con ella, pues cuando intentaba tenderse sobre su cuerpo para hacer el amor, Lilit rechazaba la postura propuesta por su pareja con el siguiente argumento: si ambos habían sido creados del polvo y eran iguales, ¿por qué el hombre tenía que estar encima y la mujer abajo?

La desnudez

Las palabras que se intercambian los amantes del Cantar de los Cantares sugieren que las parejas, por lo menos algunas de ellas, se desnudaban por completo para practicar el acto sexual. Sólo así se explica que el novio pueda alabar los pechos y el ombligo de su amada —"dos mellizas de gacelas que triscan entre las azucenas" y un "ánfora en que no falta el vino", respectivamente—; y que ella equipare el vientre del novio a una "masa de marfil cuajada de zafiros".

Esa dichosa entrega pasional contrasta, sin embargo, con la idea que la Biblia presenta de la desnudez. Esta es sinónimo de pobreza, de humildad, de desprotección, incluso de oprobio y vergüenza. La costumbre de hacer el amor por la noche quizá estaba relacionada con el sentimiento de zozobra que producía la visión de los cuerpos desnudos. Según la Biblia, la desnudez era al comienzo el estado natural de la humanidad. Pero las cosas cambiaron cuando la primera pareja, instigada por la serpiente, comió del fruto prohibido del bien y el mal. El hombre y la mujer tomaron conciencia de su desnudez y se cosieron unos ceñidores de hojas de higuera. A partir de ese momento, la exposición de los genitales se convirtió en una especie de tabú.

La ley mosaica exige a los sacerdotes que deben "llevar calzones de lino para cubrir su desnudez, que lleguen desde la cintura hasta los muslos", de modo que nadie pueda ver sus genitales desde más abajo. El patriarca diluviano Noé maldijo a su hijo Cam y a toda su descendencia por haberlo visto desnudo cuando dormía ebrio en su tienda. En cambio, bendijo a sus otros dos hijos, Sem y Jafet, que, tomando un manto, se lo pusieron sobre los hombros "y yendo de espaldas, vuelto el rostro, cubrieron sin verla la desnudez de su padre".

Dejar desnudo o semidesnudo al enemigo es la peor humillación que se le puede infligir. Fue lo que hizo Janún, recién coronado rey de los ammonitas, con unos embajadores que le envió el rey israelita David para que le expresaran sus sentimientos por la muerte de su padre. Janún fue convencido por los jerarcas de su pueblo de que los emisarios no habían ido realmente a honrar al difunto monarca, sino en misión de espionaje. Entonces, "tomando a los embajadores de David, rapóles la mitad de la barba y les cortó los vestidos hasta la mitad de las nalgas, y los despidió". Informado del suceso, David envió gente al encuentro de sus embajadores, que "estaban en gran confusión". En una de sus soflamas, el profeta Isaías advierte a los israelitas que les afeitará los "pelos de los pies", en alusión al vello púbico.

Tal vez por su significado de humildad extrema, la desnudez acompaña los trances proféticos. El rey Saúl, en su persecución contra David, se encaminó hacia la ciudad de Nayot en Ramá, ciudad donde residía el profeta Samuel. Entonces "el espíritu de Dios se apoderó de él, e iba profetizando hasta que llegó a Nayot de Ramá, y quitándose sus vestiduras profetizó él también ante Samuel, y se estuvo desnudo por tierra todo aquel día y toda la noche. De ahí el proverbio: '¿También Saúl entre los profetas?'". El libro de Isaías cuenta que este profeta estuvo tres años "desnudo y descalzo". El profeta Miqueas narra así su éxtasis: "Por eso yo gimo y me lamento, y voy descalzo y desnudo y aullo como chacal, y gimo como avestruz. Porque su desastre es irremediable, y ha invadido a Judá".

La irrupción de la cultura helenística, a finales del siglo IV a. C., provocó un cambio radical en las costumbres. Los jóvenes empezaron a cultivar sus cuerpos y a participar desnudos en juegos gimnásticos de tipo griego, para lo cual reconstruyeron sus prepucios. El escritor del libro de Macabeos da cuenta, manifiestamente alarmado, de lo que sucedía en Judea hacia finales del siglo II a. C.: "Salieron de Israel por aquellos días hijos inicuos, que persuadieron al pueblo, diciéndole: 'Hagamos alianza con las naciones vecinas, pues desde que nos separamos de ellas nos han sobrevenido tantos males', y a muchos les parecieron bien semejantes discursos. Algunos del pueblo se ofrecieron a ir al rey, el cual les dio facultad para seguir las instituciones de los gentiles. En virtud de esto, levantaron en Jerusalén un gimnasio conforme a los usos paganos, se restituyeron los prepucios, abandonaron la alianza santa, haciendo causa común con los gentiles, y se vendieron al mal".

Creando ambiente

Es de suponer que, como sucede en nuestros días, a algunas personas les gustaba hacer el amor con algo de sofisticación, en un escenario exquisito, con el fin de sentirse practicando más una ceremonia que un simple acto biológico. El libro de Proverbios describe a una mujer adúltera que, aprovechando la ausencia de su marido, trata de seducir con estas palabras sugerentes a un joven:

> He ataviado mi lecho con tapices,
> con telas de hilo recamado de Egipto;
> he perfumado mi cámara
> con mirra, áloe y cinamomo.

Algunas mujeres —y es de presumir que algunos hombres— se bañaban, perfumaban y engalanaban antes de hacer el amor, con el fin de aumentar el deseo de la pareja. En su discurso alegórico sobre las infidelidades de Jerusalén, el profeta Ezequiel se refiere a esos preparativos cuando dice: "Y aún han hecho venir de lejos hombres a los que enviaron mensajeros, y al venir ellos te lavaste, te pintaste los ojos y te ataviaste con tus joyas, y, echada en suntuoso estrado, te pusiste a la mesa que aderezaste para ellos, poniendo en ella mis perfumes y mi óleo".

Para presentarse ante el rey persa Asuero, cada *perla del harén* se sometía a un tratamiento de belleza durante todo un año, consistente en ungirse "seis meses con óleo y mirra y otros seis con los aromas y perfumes de uso entre las mujeres".

Besos, caricias y palabras insinuantes

La actividad sexual se acompañaba de besos, caricias y palabras insinuantes. El rey de Guerar descubre que el patriarca Isaac no es hermano de Sara cuando los encuentra *jugando* en su alcoba. El narrador no aclara en qué consiste dicho juego, aunque cabe imaginar que es lo suficientemente erótico como para revelar al monarca la verdadera relación de los forasteros. "Béseme con los besos de su bocal", anhela la novia del Cantar de los Cantares, mientras espera el encuentro con su amado. Más adelante, el novio describe lo que parece ser un beso *de tornillo*: "Miel virgen destilan tus labios, esposa; miel y leche hay bajo tu lengua".

Los pechos de la mujer constituyen el objeto preferente de las caricias del hombre. "Esbelto es tu talle como la palmera, y son tus senos sus racimos. Yo me dije: Voy a subir a la palmera, a tomar sus racimos", dice el novio del Cantar de los Cantares. Las tetas femeninas no sólo se soban con delicadeza; también se aprietan con lascivia. A ello se refiere, en un contexto bien diferente, el profeta Ezequiel, cuando habla alegóricamente de la infidelidad de Jerusalén y Samaria: "Se prostituyeron en Egipto al tiempo de la mocedad; allí fueron estrujados sus pechos y manoseado su seno virginal". En su entrega mutua, los amantes se decían palabras cargadas de pasión. Una vez más hay que recurrir al Cantar de los Cantares, que recoge unos diálogos deliciosamente concupiscentes. "Al tiro de los carros del faraón te comparo, amada mía", comenta el novio. Y la amada dice: "Es mi amado para mí bolsita de mirra, que descansa entre mis pechos".

Afrodisíacos: la mandrágora

Los habitantes de Oriente Próximo atribuían poderes afrodisíacos a la mandrágora, una planta herbácea de flores blancas y rojas, de la familia de la patata, que produce un fruto delicioso y dulce de color amarillo. Su gruesa raíz, de unos treinta centímetros de longitud, evoca la forma de un cuerpo humano, lo que ha contribuido durante siglos a cimentar la fama de la mandrágora como estimulante sexual.

Raquel y su hermana Lía, como ya se ha dicho, compartían a Jacob como esposo. Cuando Raquel era aún estéril, Lía, que ya tenía cuatro hijos, pero se sentía abandonada por su marido, recibió unas mandrágoras de su primogénito Rubén. Ansiosa por volverse fecunda, Raquel consiguió que su hermana le diera los frutos y, a cambio, le permitió pasar esa noche con Jacob. Lía dejó patente que no necesitaba de ayudas externas para procrear: esa noche quedó preñada por quinta vez y, en otros dos encuentros con su marido, engendró sendos retoños más. La Biblia no explica qué hizo Raquel con las mandrágoras, aunque cabe suponer que hizo un uso adecuado de ellas, ya que, tras el episodio, "Dios se acordó de Raquel y la hizo fecunda". El afrodisíaco sólo aparece una vez más en la Biblia, en el Cantar de los Cantares. "Ya dan su aroma las mandrágoras, y a nuestras puertas están los frutos exquisitos: los nuevos y los viejos, que guardo, amado mío, para ti", dice la novia.

¿Importa el tamaño?

El debate se mantiene hasta nuestros días: ¿importa el tamaño del pene en las relaciones sexuales? Es probable que, en su subconsciente, algunos narradores bíblicos pensaran que sí. El profeta Ezequiel menciona miembros descomunales para recalcar las escenas de gran lubricidad. En sus discursos alegóricos sobre las fornicaciones de Jerusalén, describe a los egipcios como personas de "carne [pene] grande". De los caldeos dice que tienen "carne [pene] de burro y flujo de caballos".

Otro tamaño que parece importar es el de los senos de la mujer. “Nuestra hermana es pequeñita, no tiene pechos todavía”, sostienen los hermanos de la novia en el Cantar de los Cantares. La muchacha afirma altiva: “Sí, muro soy, y torres son mis pechos”. Sólo una mujer con senos generosos puede decir, como hace la novia: “Es mi amado para mí bolsita de mirra, que descansa entre mis pechos”.

Anticonceptivos: *coito interruptus* y menstruación

En una cultura que exaltaba la natalidad, cabe presumir que los métodos anticonceptivos no estaban bien vistos. Uno de ellos era el *coito interruptus.* De conformidad con la costumbre del levirato, Onán había tomado por mujer a Tamar, la viuda de su hermano. Se esperaba que con esa unión diera descendencia al difunto. Pero él no quería engendrar una familia que no fuera suya, de modo que “cuando entraba a la mujer de su hermano, derramaba en tierra para no dar prole a su hermano”. Según el narrador, “era malo a los ojos de Yavé lo que hacía Onán, y lo mató”. La conducta de Onán se ha interpretado durante siglos de manera errónea, y la palabra *onanismo* se utiliza hasta el día de hoy como sinónimo de masturbación, como se puede comprobar en el diccionario de la Real Academia Española. En realidad, Onán no se masturbaba, sino que, como dice de modo inequívoco el texto, *entraba* a la viuda de su hermano y, en el momento culminante, vertía en tierra. Aunque en el relato del Génesis Onán es castigado por Dios con la muerte, la legislación bíblica no contiene ninguna prohibición contra el *coito interruptus.*

El otro método anticonceptivo consistía en copular durante la menstruación de la mujer. De la existencia de esa práctica dan fe las prohibiciones que pesan contra ella. La ley levítica recoge dos normas que vetan el acto sexual con una mujer en su período menstruoso. “Si uno se acostare con ella, será sobre él su impureza, y será inmundo por siete días, y el lecho en donde durmiere será inmundo", reza la primera. Y la segunda: "Si uno se acuesta con mujer mientras tiene ésta el flujo menstrual, y descubre su desnudez, su flujo, y ella descubre el flujo de su sangre, serán ambos borrados de en medio de su pueblo". A primera vista se trata de una misma norma, pero con dos castigos bastante diferentes: siete días de impureza en un caso, y la expulsión de la comunidad en el otro. Algunos expertos sostienen que se trata en realidad de dos normas distintas: la primera se refiere al período de impureza ritual que seguía al flujo menstrual, mientras que la segunda se centra en la regla propiamente dicha, por lo que tiene un castigo más severo. Interpretaciones al margen, las prohibiciones se establecen cuando existe algo que prohibir, y desde esa premisa cabe colegir que los antiguos israelitas utilizaban con asiduidad la menstruación como un eficaz método anticonceptivo.

La lujuria

La Biblia contiene numerosos pasajes de lascivia, de urgencias carnales inaplazables, de deseos desaforados que sólo buscan la satisfacción sexual inmediata. Cuando el rey David observa a la casada Betsabé bañándose, ordena de inmediato que se la traigan al palacio para acostarse con ella. Dos jueces libidinosos intentan con ardides que Susana, esposa de otro notable, se les entregue. Los habitantes de Sodoma rodean la casa de Lot para que les entregue a sus dos huéspedes varones, a quienes pretenden violar. El mundo de las pasiones es tan tempestuoso que el bueno de Job consideró necesario hacer un pacto con sus propios ojos para "no prestar atención a la virgen".

Pero nadie describe con tal intensidad la lujuria como los profetas en sus discursos alegóricos. "Yo los harté, y se dieron a adulterar y se fueron en tropel a la casa de la prostituta. Sementales bien gordos y lascivos, relinchan ante la mujer de su prójimo", dice Jeremías sobre los jóvenes de Judá. El mismo profeta presenta así al reino de Judá, por haberse entregado a la idolatría: "Asna salvaje, habituada al desierto, en el ardor de su pasión olfatea el viento; su celo, ¿quién lo reducirá? El que la busque no tendrá que fatigarse, la hallará en su mes de calor".

En su diatriba contra Jerusalén, el profeta Ezequiel llega a describir lo que parece un caso de ninfomanía: "Te prostituiste con los hijos de Egipto, tus vecinos de gordos cuerpos, multiplicando tus fornicaciones para irritarme [...]. No harta todavía, te prostituiste también a los hijos de Asiria, fornicaste con ellos, sin hartarte todavía. Multiplicaste tus prostituciones desde la tierra de Canaán hasta Caldea, y ni con ello te saciaste". Según el profeta, la lujuria de Jerusalén era tal que, con sólo mirar "hombres pintados en la pared, figuras de caldeos trazadas con minio, ceñidos sus lomos de sus cinturones y tiaras de varios colores a la cabeza", mandaba embajadores a que le trajeran caldeos de carne y hueso al "lecho de sus amores".

En el Nuevo Testamento, la cruzada contra las fornicaciones reales, no metafóricas, tiene su adalid en el apóstol Pablo. "Huid de la fornicación", dice. "Los que son según la carne sienten las cosas carnales, los que son según el espíritu sienten las cosas espirituales. Porque el apetito de la carne es muerte, pero el apetito del espíritu es vida y paz". Para Pablo, "las obras de la carne son manifiestas, a saber: fornicación, impureza, lascivia, idolatría, hechicería, odios, discordias, celos, rencillas, disensiones, divisiones, envidias, homicidios, embriagueces, orgías y otras como éstas".

Acoso sexual: José y la mujer de Putifar

Los deseos insatisfechos o la sobredosis de lujuria pueden conducir a situaciones extremas de acoso sexual. En cualquier sociedad machista, lo habitual es que sean los hombres quienes hostiguen a las mujeres, como sucedió en el caso de los ancianos y Susana. Sin embargo, la Biblia recoge el caso excepcional de una mujer casada que, en su desesperación, llevó a cabo una persecución implacable contra un joven para que se acostara con ella. Ese joven era José, el hijo preferido del patriarca Jacob.

José había ido a parar a Egipto tras ser vendido por sus envidiosos hermanos a unos mercaderes ismaelitas. Allí entró a trabajar en la casa del influyente Putifar, ministro del faraón y jefe de los guardias de palacio. Con el tiempo, José logró ganarse la confianza de Putifar, que le encargó la administración de su casa y sus negocios. José, según el narrador, era "de hermosa presencia y bello rostro". Sucedió entonces que la mujer de Putifar "puso en él sus ojos" y le dijo: "Acuéstate conmigo". José se negó, alegando que no estaba dispuesto a traicionar la confianza que había depositado en él su amo. "¿Voy a hacer yo una cosa tan mala y a pecar contra Dios?", dijo. La mujer de Putifar insistió "un día y otro día", sin éxito, ya que el muchacho "se negaba a acostarse con ella y aun a estar con ella". Hasta que, en cierta ocasión, al entrar José en la casa para desarrollar su trabajo, la mujer pasó a los hechos. Agarrándolo por el manto, le dijo: "Acuéstate conmigo". José huyó de la casa, pero su manto quedó en las manos de la acosadora. Cuando Putifar regresó a casa, su mujer le contó que José había intentado violarla. Putifar mandó al siervo a prisión. José salió más tarde en libertad gracias a sus dotes de intérprete de sueños y llegó a ser el hombre de confianza del faraón.

La historia de José y la mujer de Putifar guarda una gran similitud con el mucho más antiguo *Cuento de los dos hermanos*, relato egipcio en el que una mujer intenta seducir al hermano de su esposo. En este cuento, el muchacho sometido al acoso llega al extremo de cortarse el pene para demostrar a su hermano que nunca ha tenido la menor intención de traicionarlo.

Masturbación. Estatuillas

Durante siglos, la masturbación se ha considerado una práctica abominable por culpa de una mala interpretación de la historia de Onán, a quien Dios castigó con la muerte por verter en tierra cuando copulaba con Tamar. El *pecado* de Onán, como ya se ha visto, era el *coito interruptus*, no la masturbación. La Biblia no prohíbe la masturbación. En realidad, no se ocupa de ella, al menos de un modo explícito. Es posible que el legislador levítico pensara en esta práctica sexual al señalar: "El hombre que tenga derrame seminal lavará con agua todo su cuerpo y quedará impuro hasta la tarde. La ropa o sábana sobre las que hubiera derramado el semen serán lavadas con agua y quedará impuras hasta la tarde". Si en efecto se estaba refiriendo no sólo al derrame involuntario de semen, sino también a la masturbación, esta sería entonces equiparable al acto sexual en cuanto a los procedimientos de purificación, y en ningún modo constituiría un pecado.

La imprecación del profeta Ezequiel a Jerusalén parece contener una alusión a la autosatisfacción sexual, aunque en este caso con instrumentos de ayuda: "Tomaste las espléndidas joyas que te había dado, mi plata y mi oro, y te hiciste simulacros de hombre, fornicando con ellos". Si se trataba sólo de una metáfora, al menos habrá que reconocer que Ezequiel era un visionario, un hombre adelantado a su tiempo, ya que la imagen que concibió preludia, con siglos de antelación, los modernos maniquís sexuales o los consoladores, según fuera el tamaño del objeto al que se refería el profeta.

Bestialismo

La legislación israelita era muy severa al abordar el bestialismo. "Todo el que se acueste con bestia, morirá", afirma el libro de Éxodo. El legislador levítico dice: "No te ayuntarás con bestia, manchándote con ella". Y añade, en una de las pocas leyes dirigidas de modo expreso a las mujeres: "La mujer no se pondrá ante una bestia, prostituyéndose ante ella, es una perversidad". El autor levítico incluye el bestialismo entre las numerosas abominaciones que han cometido los cananeos antes de la llegada de los israelitas. A su vez, el código deuteronómico señala: "Maldito quien tuviere parte con una bestia cualquiera; y todo el pueblo responderá: Amén".

El capítulo 2 del Génesis cuenta que, después de crear al primer hombre, Dios decidió proporcionarle una ayuda *adecuada* para que no estuviese solo. Llevó ante él a todos los animales para que les pusiese nombre, pero entre todos ellos no encontró la ayuda adecuada. Entonces Dios sumió al hombre en un sueño profundo y creó a la mujer de una de sus costillas. *Bereshit Yebamot*, un opúsculo sobre el Talmud de Babilonia, ve en ese relato de la Biblia restos de bestialismo, tal como señalan Robert Graves y Raphael Patai en *Los mitos hebreos*. Según el documento, cuando los animales desfilaron ante Adán, éste se sintió celoso por sus amores. Trató de acoplarse con cada hembra, pero no halló satisfacción. "Todas las criaturas tienen la compañera adecuada menos yo", se quejó Adán, y pidió a Dios que remediara tal injusticia.

Capítulo XI
Su santidad el falo

❋

"Pon la mano bajo mi muslo y jura"

Los antiguos israelitas concedían una importancia capital al órgano viril. Ello no debe sorprender en una sociedad dominada por los varones y que exaltaba la procreación como uno de sus valores supremos. El pene, como instrumento reproductor, tenía en cierto modo una condición de santidad. En él se simbolizaba la alianza de Israel con Dios, mediante el rito de la circuncisión. Los juramentos más solemnes se formalizaban tocando el miembro de la persona con la que se adquiría el compromiso, del mismo modo que hoy se coloca la mano sobre la Biblia. "Pon, te ruego, tu mano bajo mi muslo. Yo te hago jurar por Yavé, Dios de los cielos y de la tierra, que no tomarás mujer para mi hijo de entre las hijas de los cananeos, en medio de los cuales habito, sino que irás a mi tierra, a mi parentela, a buscar mujer para mi hijo Isaac", dijo Abraham a su siervo. Éste "puso la mano bajo el muslo de Abraham, su señor, y juró". El mismo ritual practicó Jacob, cuando, próximo a morir, llamó a su hijo José y le dijo: "Si he hallado gracia a tus ojos, pon, te ruego, la mano bajo mi muslo y haz conmigo favor y fidelidad. No me sepultes en Egipto. Cuando me duerma con mis padres, sácame de Egipto y sepúltame en sus sepulturas". En *Los mitos hebreos,* Robert Graves y Raphael Patai sostienen que ese tipo de juramento evocaba el rito de la circuncisión y revestía gran solemnidad.

La integridad del miembro viril —o para ser más exactos, la integridad después de la circuncisión— fue un motivo de preocupación para los legisladores bíblicos. El código levítico prohíbe participar en oficios de culto a quien tenga algún "daño de testículo". La ley deuteronómica excluye de la congregación a quien tenga los testículos magullados o el pene mutilado. Si una mujer, en el curso de una pelea entre su esposo y otro hombre, agarraba a éste por su miembro para liberar a su marido, se le castigaba cortándole la mano "sin piedad".

La señal de alianza está en el pene

La circuncisión —corte del prepucio— es la señal de la alianza suprema entre Dios e Israel. La Biblia remonta el origen de ese pacto a la época patriarcal. Dios se le apareció a Abram y estableció con él un pacto, mediante el cual se comprometió a hacerlo padre de una muchedumbre de pueblos y le entregó la tierra de Canaán en posesión eterna. A continuación le impuso la señal de la alianza: "Este es mi pacto, que guardaréis entre mí y vosotros y entre la descendencia después de ti: circuncidad todo varón, circuncidad la carne de vuestro prepucio, y ésa será la señal de mi pacto entre mí y vosotros. A los ocho días de nacido, todo varón será circuncidado en vuestra descendencia, ya sea el nacido en casa o comprado por plata a algún extranjero, que no es de tu estirpe. Todos, tanto los criados en casa como los comprados, se circuncidarán, y llevaréis en vuestra carne la señal de mi pacto por siempre; y el incircunciso que no circuncidare la carne de su prepucio será borrado de su pueblo; rompió mi pacto". Finalizado el encuentro, Abraham, a la sazón de 99 años, se circuncidó, y procedió de igual modo con su hijo Ismael, de 13 años, y con todos los varones de su casa, "los nacidos en ella y los extraños comprados". Los musulmanes, que se consideran descendientes de Ismael, celebran hasta el día de hoy la circuncisión a los 13 años.

Existen numerosos testimonios que dan fe de la antigüedad de la circuncisión. Esta se practicaba ya en el imperio egipcio hacia el año 2900 a. C., un milenio antes de la era patriarcal. La razón que llevó a establecer esa costumbre aún se ignora, pero parece ser que se trataba de un ritual iniciático de entrada a la pubertad. Es muy probable que las tribus semitas —entre ellas las israelitas— tomaran la costumbre de la civilización egipcia. El profeta Jeremías hace referencia a varios pueblos que la practicaban en su tiempo: Egipto, Judá, Edom, Ammón, Moab, y a todos los "que se rapan las sienes y habitan en el desierto". Sin embargo, los israelitas convirtieron la circuncisión en algo diferente, más trascendental por decirlo de algún modo, al transformar el corte del prepucio en el símbolo de la alianza del pueblo con Dios. También se diferenciaron de otras culturas al practicar el ritual a una edad tan temprana como a los ocho días de nacido. Para los israelitas, el término *circuncisión* trascendió el significado meramente anatómico y adquirió una acepción moral. "Circuncidaos para Yavé y quitad los prepucios de vuestros corazones", dice el profeta Jeremías.

Los narradores bíblicos utilizan el término "incircunciso" con un sentido despectivo, sobre todo para referirse al odiado pueblo filisteo. "¿Acaso no hay mujeres entre las hijas de tus hermanos y entre todo tu pueblo para que vayas tú a tomar mujer de los filisteos, incircuncisos?", increpan a Sansón sus padres. "¿Quién es ese filisteo, ese incircunciso, para insultar así al ejército del Dios vivo?", pregunta el jovencísimo David al ver al gigante Goliat. Más adelante, el rey Saúl le exigiría a David cien prepucios de filisteos para entregarle por mujer a su hija Micol. "Saca tu espada y traspásame, para que no me hieran esos incircuncisos y me afrenten", pidió el rey Saúl, presa del miedo, a su escudero al ver que estaba a punto de morir a manos de los filisteos. Como el siervo no lo obedeciese, el monarca se mató dejándose caer sobre su propia espada. El autor del Levítico advierte que los infieles a Dios "humillarán su corazón incircunciso". A la Jerusalén redimida, el profeta Isaías le dice: "Viste tus bellas vestiduras, Jerusalén, ciudad santa, que ya no volverá a entrar en ti incircunciso ni inmundo".

En tiempos de dominación extranjera, la circuncisión adquirió para los judíos una dimensión de identidad nacional-religiosa. Los libros de Macabeos cuentan al respecto un terrible episodio que ocurrió a raíz de que el rey seléucida Antíoco IV Epifanes, empeñado en aniquilar la fe judía, prohibiera en el siglo II a. C. el rito de la circuncisión: "Dos mujeres fueron delatadas por haber circuncidado a sus hijos, y, con los niños colgados de los pechos, las pasearon por la ciudad y luego las precipitaron de las murallas".

Aunque Jesús y Juan el Bautista fueron circuncidados conforme a la ley mosaica, entre los primeros cristianos se produjo un intenso debate sobre si la circuncisión debía ser un requisito imprescindible para la salvación o si también se podía acceder a ésta sin pasar por el cuchillo de pedernal. Finalmente se impusieron las tesis de Pablo, él mismo circuncidado, en el sentido de que el ritual no fuera obligatorio. "¿Ha sido uno llamado en la circuncisión? No disimule su prepucio. ¿Ha sido llamado en el prepucio? No se circuncide. Nada es la circuncisión, nada el prepucio, sino la guarda de los preceptos de Dios", dice el apóstol en su primera Epístola a los Corintios. Este fue uno de los principales puntos de ruptura entre el judaísmo y el naciente cristianismo. Pese a defender la no obligatoriedad de la circuncisión, Pablo utilizó el ritual como metáfora de la alianza de la humanidad con Jesús. "Estáis llenos de Él, que es la cabeza de todo principado y potestad, en quien fuisteis circuncidados con una circuncisión no de manos de hombre, no por la amputación corporal de la carne, sino con la circuncisión de Cristo", indica en la Epístola a los Colosenses.

Circuncisión trampa

Después de la circuncisión colectiva que practicó Abraham a sí mismo, a su hijo Ismael y a todos los criados de su casa, el siguiente ritual multitudinario lo protagonizó el pueblo jorreo. Fue el precio que se comprometió a pagar su príncipe, Siquem, al patriarca Jacob por su hija Dina, a la que *amaba* tras haberla violado. "No podemos hacer eso de dar nuestra hermana a un incircunciso, porque eso sería para nosotros una afrenta. Sólo podríamos venir en ello con una condición: que seáis como nosotros y se circunciden todos vuestros varones", le habían dicho a Siquem los hermanos de Dina.

Cerrado el acuerdo matrimonial, Siquem y su padre, Jamor, fueron a las puertas de la ciudad para dirigirse a sus habitantes y convencerlos de que se circuncidaran. Así fue su alegato: "Estos hombres son gente de paz en medio de nosotros; que se establezcan en esta tierra y la recorran; la tierra es a ambas manos espaciosa para ello. Tomaremos por mujeres a sus hijas y les daremos a ellos las nuestras; pero sólo consienten en habitar con nosotros y ser con nosotros un pueblo si se circuncida entre nosotros todo varón, como lo están ellos. Sus ganados, sus bienes y todas sus bestias, ¿no serán así nuestras? Sólo falta que accedamos a su petición y habitarán con nosotros".

El discurso resultó persuasivo y todo varón fue circuncidado. Sin embargo, lo que siguió no fue el paraíso prometido por los timoneles. Al tercer día, cuando los jorreos estaban "con los dolores" provocados por la operación, Simeón y Leví, dos de los hijos de Jacob, irrumpieron sin peligro en la ciudad y pasaron a filo de espada a todos los varones, comenzando por Jamor y Siquem, y se arrojaron sobre los muertos, y saquearon la ciudad, "por haber sido deshonrada su hermana". Al enterarse de lo ocurrido, Jacob dijo a sus dos hijos: "Habéis perturbado mi vida, haciéndome odioso a los habitantes de esta tierra". A lo que Simeón y Leví respondieron: "¿Y había de ser tratada nuestra hermana como una prostituta?".

"Esposo de sangre"

Uno de los pasajes más curiosos de la Biblia gira en torno a la circuncisión. Moisés había recibido la orden de Dios de liberar a los israelitas de Egipto. Camino hacia ese país, en un lugar donde pasaba la noche, Dios le salió al encuentro y "quería matarlo". Pero Séfora, la esposa madianita de Moisés, tomó un cuchillo de piedra, circuncidó a su hijo, y "tocó los pies" de su marido, diciendo: "Esposo de sangre eres para mí". Entonces "lo dejó Yavé, al decir ella esposo de mi sangre, por la circuncisión".

Es posible que, por ser de cultura egipcia y vivir entre madianitas, Moisés no hubiera estado pendiente de circuncidar a su hijo a los ocho días de nacido, y ello había provocado la ira de Dios. Con rapidez de reflejos, Séfora ejecutó el ritual y libró a Moisés del castigo divino. *Pies* es un eufemismo por *pene*: lo que toca Séfora a su marido al declararlo "esposo de sangre" es su miembro viril, lo que pone de manifiesto la solemnidad extraordinaria del acto. Séfora ha quedado en la historia bíblica como un personaje muy secundario. Sin embargo, bien mirado, debería ocupar un sitial de honor, ya que, sin su intervención, Moisés habría muerto y nada de lo que sucedió después en la Biblia hubiese ocurrido tal como sucedió.

La segunda circuncisión de los israelistas

El libro de Josué recoge un curioso episodio que muestra al pueblo israelita circuncidándose en la víspera de la conquista de Canaán: "Entonces dijo Yavé a Josué: "Hazte cuchillos de piedra y circuncida a los hijos de Israel". Hízose Josué cuchillos de piedra y circuncidó a los israelitas en el collado de los Prepucios". El motivo de esta nueva circuncisión es que toda la generación de israelitas salida de Egipto había muerto durante la travesía por el desierto, y las nuevas generaciones no estaban circuncidadas. "Cuando todos se circuncidaron, quedáronse en el campamento hasta curarse", añade el narrador.

Según algunos estudiosos, este relato podría aludir al hecho de que, entre las tribus israelitas que se disponían a entrar en Canaán, sólo algunas —en especial las que habían estado en Egipto— habían adoptado la circuncisión. La "segunda circuncisión" quizá evoque el momento en que las tribus de influencia egipcia impusieron el ritual a las otras que encontraron en el camino y con las que habían de sellar la alianza de Israel.

Cien filisteos

Al enterarse de que su hija Micol estaba enamorada de David, el rey Saúl concibió un plan para deshacerse del joven guerrero, cuya popularidad creciente lo inquietaba. Saúl le ofreció a David su hija por esposa, y le pidió en pago por ella cien prepucios de filisteos. La idea del monarca era que el joven pereciera en la aventura. Ajeno a las maquinaciones, a David "le agradó la condición puesta para ser yerno del rey". Salió con los hombres que estaban a su mando y, en efecto, mató cien filisteos, cuyos prepucios entregó a Saúl. Cabe deducir por el relato que la circuncisión se produjo cuando los enemigos ya estaban muertos.

Juan el Bautista y Jesús

Como judíos que eran, Juan el Bautista y Jesús fueron debidamente circuncidados. Lo cuenta el Evangelio de Lucas. Isabel, esposa del sacerdote Zacarías, era estéril y, además, anciana. Un día, el ángel Gabriel se le apareció a Zacarías y le anunció que su mujer daría a luz un niño, al que debían llamar Juan. Zacarías puso en duda el anuncio, por lo que el ángel lo castigó dejándolo mudo hasta que se cumpliera la profecía. Isabel, en efecto, quedó embarazada y parió un varón. Cuenta Lucas que "al octavo día vinieron a circuncidar al niño, y querían llamarlo por el nombre de su padre, Zacarías. Pero la madre tomó la palabra y dijo: 'No, se llamará Juan'. Le decían: '¡Si no hay ninguno entre tu parentela que se llame por ese nombre!'. Entonces preguntaron por señas al padre cómo quería que se llamase; y pidiendo unas tabillas, escribió: Juan es su nombre. Y todos se maravillaron. Y al instante se abrió su boca y se soltó su lengua, y empezando a hablar, bendecía a Dios".

Por los días en que anunció a Isabel que sería madre, el ángel Gabriel dio el mismo mensaje a otra mujer, parienta de aquélla. Esta se llamaba María, vivía en la ciudad galilea de Nazaret y estaba desposada —es decir, casada, pero sin que se hubiera producido aún la consumación carnal del matrimonio— con un varón de nombre José. Cuando el ángel le anunció el nacimiento de su hijo, que se llamaría Jesús y recibiría el trono de David, María se turbó y dijo: "¿Cómo podrá ser esto, pues yo no conozco varón?". El ángel le dio la respuesta: "El Espíritu Santo vendrá sobre ti, y la virtud del Altísimo te cubrirá con su sombra, y por eso el hijo engendrado será santo, será llamado Hijo de Dios". Por esos días el emperador César Augusto promulgó un edicto que obligaba al empadronamiento de todo el mundo. José llevó a su familia de Nazaret a Belén, al sur, a cuya jurisdicción él pertenecía. En esta ciudad le llegó a María el momento del parto, y alumbró un niño. Cuenta el evangelista: "Cuando se hubieron cumplido los ocho días para circuncidar al niño, le dieron por nombre Jesús, impuesto por el ángel antes de ser concebido en su seno". Las historias de Juan el Bautista y Jesús muestran que en el mismo acto de la circuncisión se ponía el nombre del recién nacido, costumbre que mantiene el judaísmo hasta el día de hoy. Lo que no entra en la tradición judía es que un hijo reciba el mismo nombre del padre, como algunos pretendían con el hijo de Zacarías, llamado finalmente Juan.

Moisés y la serpiente de bronce

Los rastreadores de mitos ven en el relato de la expulsión del Paraíso ecos de una antigua cultura fálica. Consideran significativo que la primera mujer sea seducida precisamente por una serpiente, animal que algunas creencias primitivas asociaban con el órgano viril masculino. ¿Es posible que los hebreos, en determinados momentos de su historia, sintieran la influencia de determinados ritos de adoración a la serpiente?

El libro de Números contiene un episodio muy curioso, que muestra a Moisés, el gran conductor del pueblo israelita, portando un asta con una serpiente de bronce en el extremo durante la travesía por el desierto. En la versión hebrea de la Biblia, la figura recibe el nombre de *nejushtán*, palabra que juega con bronce (*nejoshet*) y culebra (*najash*). Se trataba, según el relato, de una especie de amuleto mágico contra las mordeduras de serpiente: cuando alguno era mordido, "miraba a la serpiente de bronce, y se curaba".

Sin embargo, las propias narraciones bíblicas dan a entender que la *nejushtán* era algo más que un simple amuleto. De acuerdo con el libro de Reyes, el ofidio de bronce fue venerado en el Templo hasta la llegada del rey reformador Ezequías (716-687 a. C.): "Él fue quien quitó los altos, derribó las estelas, cortó los cipos y rompió la serpiente de bronce que había hecho Moisés, porque los israelitas le habían quemado incienso hasta aquellos días".

Eunucos

Los eunucos, varones castrados, desempeñaban labores de confianza, particularmente en los harenes de los reyes. Sus amos tenían la tranquilidad de que esos siervos, por más tentación sexual que sintieran, no podrían preñar a sus mujeres. Como ya se ha señalado, los israelitas tenían en escasa consideración a los eunucos, y la legislación mosaica vetaba el ingreso en la congregación de Israel a quienes tuvieran amputados o magullados los órganos genitales. Ese veto, sin embargo, fue sufriendo fisuras, como lo evidencian las siguientes palabras del profeta Isaías:

> Que no diga el eunuco:
> "Yo soy un árbol seco".
> Porque así dice Yavé a los eunucos
> que guardan mis sábados,
> y eligen lo que me es grato,
> y se adhieren firmemente a mi pacto:
> Yo les daré en mi casa, dentro de mis muros,
> poder y nombre mejor que hijos e hijas.
> Yo les daré un nombre eterno,
> que no se borrará.

Seis siglos después, dice el autor de Sabiduría:

> Dichoso también el eunuco,
> que no ha obrado la maldad con sus manos
> ni ha concebido malos pensamientos contra el Señor,
> porque le será otorgado un galardón escogido por su fe
> y una suerte más deseable en el tiempo del Señor.

Los castrados del harén de Asuero

En la Biblia aparecen numerosos eunucos, desempeñando los más diversos papeles. Cuenta el libro de Ester que el emperador persa Asuero tenía siete a su servicio personal: Mahuman, Bizta, Harbona, Bigta, Abagta, Zetar y Carcas. A ellos les encargó traer a su presencia a la reina Vasti, a quien pretendía exhibir ante sus invitados en una fiesta grandiosa. Vasti se negó, y ello le costó la corona, que pasó a la judía Ester mediante la convocatoria de un concurso de belleza en todo el imperio. Otros dos eunucos —Birgán y Teres— planeaban conspirar contra el monarca, pero Mardoqueo, primo de Ester, los denunció y fueron ahorcados. Cuando Ester entró en el harén de Asuero junto a las demás seleccionadas para participar en la final del concurso de belleza, quedó al cuidado el eunuco Hegue, que le tomó afecto y la trató con especial atención. Otro eunuco, Saasgaz, se ocupaba de la casa de las concubinas. Cuando el malvado Amán convenció a Asuero de que exterminara al pueblo judío, uno de los eunucos al servicio de la ya reina Ester, Hatac, sirvió de mensajero entre su ama y el primo de ésta, Mardoqueo, que estaba fuera de palacio, y su labor de intermediario contribuyó a echar por tierra el proyecto de Amán.

Bagoas, un mal consejero

Otro eunuco, de nombre Bagoas, también ayudó a la salvación de los judíos, aunque en su caso sin pretenderlo. Jefe de intendencia del ejército asirio, fue él quien persuadió al general Holofernes de que invitase a un banquete a la hermosa judía Judit, que se hallaba en su campamento. Bagoas consideraba vergonzoso dejar marchar a semejante mujer sin "tener comercio con ella". "Se iría riendo de nosotros", alegó. Holofernes cedió al razonamiento de su empleado e invitó a Judit, que, al quedar más tarde a solas con el general, aprovechó la borrachera de éste y lo decapitó con un alfanje. Por la mañana, Bagoas entró en la tienda del general y llamó agitando la cortina, pensando que su jefe se hallaba con Judit. Como nadie respondía, corrió la cortina y, para su horror, se encontró con Holofernes sin cabeza.

Los ejecutores de Jezabel

El libro segundo de Reyes cuenta la llegada del guerrero Jehú a la ciudad de Jezrael para poner fin a la dinastía reinante de Israel. Al ver a la reina Jezabel, que desde su palacio lo desafiaba con los ojos pintados y peinada como una amante, Jehú dijo: "¿Quién está conmigo? ¿Quién?". Entonces lo miraron "dos o tres eunucos" y él les ordenó: "Echadla abajo". Los eunucos obedecieron. Jezabel fue arrojada desde lo alto, "y su sangre salpicó los muros y los caballos; y Jehú la pisoteó con sus pies".

Abdemelec, el salvador del profeta

Otro eunuco, Abdemelec ("*Siervo del rey*", significa su nombre) rescató al profeta Jeremías cuando fue arrojado a una cisterna bajo la acusación de ser partidario de una alianza con los babilonios en lugar de hacerla con los egipcios. El etíope Abdemelec acudió ante el debilitado rey Sedecías y le dijo: "Rey, mi señor, han hecho mal esos hombres tratando así a Jeremías, profeta, metiéndolo en la cisterna para que muera allí de hambre, pues no hay ya pan en la ciudad". Pese a haber autorizado el confinamiento del profeta por la presión de los antibabilonios, Sedecías dijo al eunuco que tomara a tres hombres y sacaran a Jeremías de la cisterna antes de que muriera. Abdemelec cogió del ropero del palacio unas ropas viejas y, con ayuda de unas cuerdas, las hizo llegar al profeta para que se vistiera, tras lo cual lo sacaron con ayuda de las propias cuerdas. Jeremías pasó a cumplir su detención en el vestíbulo de la cárcel. En señal de gratitud, el profeta prometió al eunuco que, cuando la ciudad fuera destruida, él se libraría de la muerte y no sería entregado a manos del enemigo.

Aspenaz y los cuatro mozos israelitas

El libro de Daniel cuenta una historia muy peculiar en la que el jefe de eunucos del emperador babilonio Nabucodonosor, llamado Aspenaz, ejerce de juez en lo que se podría denominar un concurso de belleza y talento masculinos. Miles de judíos habían sido conducidos por la fuerza a Babilonia a raíz del asedio de Nabucodonosor a Jerusalén. En un momento dado, el monarca dijo a su jefe de eunucos "que trajese de los hijos de Israel, del linaje real y del de sus nobles, cuatro mozos en los que no hubiera tacha, de buen parecer, de talento, instruidos en toda suerte de sabiduría, dotados intelectualmente y educados, capaces de servir en el palacio del rey". Los elegidos fueron Daniel, Ananías, Misael y Azarías. El rey les asignó para cada día una porción de los manjares de su mesa, del vino que él bebía, y mandó que los criasen durante tres años antes de que entrasen a servirle. Daniel pidió al jefe de eunucos que no lo obligase a *contaminarse* con la comida del monarca. Aspenaz se mostró renuente a atender la petición, pues temía por su vida si el aspecto de los muchachos desmejoraba. Pero Dios hizo que Daniel "hallase gracia y favor ante el jefe de los eunucos", y éste aceptó poner a prueba durante diez días a los muchachos dándoles tan sólo legumbres y agua. Y sucedió que, vencido el plazo, Daniel y sus compañeros "tenían mejor aspecto y estaban más metidos en carnes que los mozos que comían los manjares del rey".

Capítulo XII
Incesto

Las uniones prohibidas

"Hombre cualquiera no se acercará a todo pariente de su carne para descubrir su desnudez, yo Yavé". A partir de este precepto, el libro de Levítico establece una lista de personas con las que el varón israelita tendrá prohibido mantener relaciones sexuales: la madre, cualquier otra mujer del padre, la hermana por parte de padre o de madre, la nieta, la hermanastra, la tía —ya sea la hermana del padre o de la madre, o la esposa del hermano del padre—, la nuera y la esposa del hermano. En la lista no figura la hija, lo que los expertos atribuyen a un descuido del legislador o a que no consideró necesario incluir la prohibición por obvia. Por otra parte, la prohibición de acostarse con la mujer del hermano tenía una excepción en el matrimonio de levirato, según el cual la viuda sin hijos debía ser tomada por alguno de sus cuñados. La ley añade la prohibición de unirse a una mujer junto a su hija o su nieta, y a una mujer junto a su hermana. Estas proscripciones se recogen en el capítulo 18 del libro de Levítico, que algunas Biblias encabezan con el epígrafe *Uniones ilícitas y pecados contra naturaleza.* El castigo para los infractores figura en el capítulo 20 del mismo libro, y oscila entre la pena capital y ser "cortado del pueblo", expresión aún sujeta a debate que podría significar la exclusión de la congregación.

Resulta imposible establecer con exactitud en qué momento los israelitas comenzaron a repudiar cada una de estas relaciones sexuales antes de su prohibición formal por el código levítico, en el siglo VIII a. C. Lo que sí es seguro es que sucedió de manera gradual. Los propios relatos del Antiguo Testamento dejan constancia de que se trató de un largo proceso de refinamiento cultural, al mostrar que algunas uniones —como las de un hombre con su hija o con la mujer de su padre— eran ya objeto de reprobación en la antigüedad más remota, mientras que otras, como la relación entre hermanos, se aceptaban aún en tiempos de la monarquía.

Abraham y Sara: esposos y hermanos

El patriarca Abraham y su esposa, Sara, se habían instalado en Guerar, una región al occidente del desierto del Negueb. Abraham temía por su vida a causa de su mujer, que era muy bella, así que optó por decir que eran hermanos. El rey de Guerar, Abimélec, mandó traer a Sara a su palacio, pero Dios se le apareció en sueños antes de que se acercara a ella y le dijo: "Vas a morir por la mujer que has tomado, pues tiene marido". "Señor —respondió Abimélec— ¿matarías así al inocente? ¿No me ha dicho él: "Es mi hermana", y no me ha dicho ella: "Es mi hermano"? Con corazón íntegro y pureza de manos hice yo esto". Dios reconoció que el monarca había actuado sin malicia. "Bien sé yo que lo has hecho con pureza de corazón; por eso he impedido que pecaras contra mí y no te he consentido que la tocaras. Ahora, pues, devuelve la mujer al marido, pues él, que es profeta, rogará por ti y vivirás; pero si no se la devuelves, sabe que ciertamente morirás tú con todos los tuyos". A la mañana siguiente Abimélec contó lo ocurrido a sus servidores y se apoderó de todos un gran terror. Seguidamente llamó a Abraham y le dijo: "¿Qué es lo que nos has hecho? ¿En qué te he faltado yo para que trajeras sobre mí y sobre mi reino tan gran pecado? Lo que has hecho con nosotros no debe hacerse". A lo que el patriarca le respondió: "Es que me dije: De seguro que no hay temor de Dios en este lugar y van a matarme por causa de mi mujer. Aunque es también en verdad mi hermana, hija de mi padre, pero no de mi madre, y la tomé por mujer; y desde que me hizo Dios errar fuera de la casa de mi padre, le dije: 'Has de hacerme la merced de decir en todos los lugares adonde lleguemos que eres mi hermana'". El relato concluye con que Abimélec no sólo le devolvió a Abraham su mujer, sino que le regaló ovejas, bueyes, siervos y siervas, y a Sara la resarció con mil monedas de plata. Abraham, a su vez, intercedió ante Dios para que curara la casa de Abimélec, donde se habían cerrado todos los úteros "por lo de Sara, la mujer de Abraham".

El libro de Génesis recoge otras dos historias muy similares en las que el marido, temiendo que le hagan daño por la belleza de su esposa, presenta a ésta como su hermana. Una la protagoniza el propio Abraham, esta vez en Egipto, donde el faraón toma a Sara y luego la devuelve tras ser castigado por Dios con grandes plagas. La otra se repite en Guerar y con el rey Abimélec, pero sus protagonistas son ahora el hijo de Abraham, Isaac, y Rebeca, su mujer. Las cosas no llegan aquí tan lejos: Abimélec descubre, asomado a la ventana, que Isaac y Rebeca se acarician en una actitud más que fraternal y por tanto no toma para sí a la hermosa forastera. En estos dos relatos, ni Abraham ni Isaac ofrecen explicaciones cuando el rey del lugar les reprocha que hayan mentido al presentar a sus esposas como hermanas, si bien sabemos por otros pasajes bíblicos que Isaac es en realidad primo hermano del padre de Rebeca. El relato de Abraham en Guerar es el único en que el protagonista se defiende de la acusación de falsedad: el patriarca alega que Sara es hermana suya por parte de padre, dato que hasta ese momento no había sido citado en la Biblia.

Hasta el día de hoy se sigue discutiendo sobre el origen y el sentido de estos tres pintorescos relatos. Quizá la intención de los narradores haya sido presentar a los patriarcas como unos seres excepcionales que a punta de ingenio y con la ayuda de Dios se enfrentaron a la lascivia de los pueblos vecinos. Sin embargo, cualquier persona que lea desapasionadamente las historias podría llegar a una conclusión muy diferente y a cuestionar en el plano ético la conducta de los protagonistas. Lo que a nosotros nos importa a efectos de este libro es la información de que Abraham y Sara eran medio hermanos, hijos de Téraj con distintas mujeres. Ese tipo de unión, aceptable en la era patriarcal, fue terminantemente prohibida algunos siglos después por el código levítico: "Hombre que tome a su hermana, hija de su padre o hija de su madre, y vea su desnudez y ella vea la desnudez de él, detestable es y serán cortados a los ojos de los hijos de su pueblo; desnudez de su hermana descubrió, su culpa llevará".

Lot y sus hijas

Lot, sobrino del patriarca Abraham, vivía en Sodoma con su mujer y sus dos hijas solteras. Un día llegaron dos ángeles de apariencia humana y exhortaron a Lot para que abandonara la ciudad porque Dios se disponía a destruirla a causa de sus pecados. Lot tomó a su familia y emprendió la huida. Mientras se alejaban de la ciudad, sobre la que empezó a caer una lluvia de azufre y fuego, la mujer de Lot desobedeció la orden dada por los ángeles de que no mirasen hacia atrás y quedó convertida en una estatua de sal.

Temeroso de vivir en la ciudad de Soar, donde en un principio se había refugiado, Lot subió al monte con sus hijas y habitaron en una cueva. En esa atmósfera de soledad y aislamiento se desencadenó uno de los incestos más famosos de la Biblia, que el narrador cuenta de este modo: "Y dijo la mayor a la menor: 'Nuestro padre es ya viejo, y no hay aquí hombres que entren a nosotras, como en todas partes se acostumbra. Vamos a embriagar a nuestro padre y a acostarnos con él, a ver si tenemos de él descendencia'. Embriagaron, pues, a su padre aquella misma noche, y se acostó con él la mayor, sin que él la sintiera ni al acostarse ella ni al levantarse. Al día siguiente dijo la mayor a la menor: 'Ayer me acosté yo con mi padre; embriaguémosle también esta noche, y te acuestas tú con él, para ver si tenemos descendencia de nuestro padre'. Embriagaron, pues, también aquella noche a su padre, y se acostó con él la menor, sin que ni al acostarse ella, ni al levantarse, la sintiera. Y concibieron de su padre las dos hijas de Lot. Parió la mayor un hijo, a quien llamó Moab. Éste es el padre de Moab [el pueblo moabita] hasta hoy. También la menor parió un hijo, a quien llamó Ben Ammi, que es el padre de los Bene-Ammón [el pueblo ammonita] hasta hoy".

El relato sugiere que ya desde la época patriarcal, en la que se enmarca el relato de Lot, era censurable la unión entre padre e hija: las muchachas urden su plan con nocturnidad y emborrachan a su progenitor para que participe en un acto sexual que en su sano juicio seguramente reprobaría. Sin embargo, el narrador evita descalificar la conducta de las dos hermanas. Incluso justifica de alguna manera su comportamiento al recalcar que su objetivo era tener descendencia. En la cronología bíblica, Moab y Ben Ammi nacen antes que Isaac, el hijo de Abraham del que surgiría el pueblo de Israel, con lo que el relato sobre Lot y sus hijos tal vez evoque una realidad histórica: que los ammonitas y los moabitas llegaron a la zona antes que los israelitas. El autor reconocía así la precedencia de los dos odiados pueblos en la región, pero al mismo tiempo enlodaba su genealogía al presentarlos como hijos de un incesto, por comprensible que este hubiera sido.

La mujer del padre. La nuera. Las dos hermanas

Dos bisnietos de Abraham aparecen manteniendo unas relaciones sexuales que habían de ser castigadas siglos después con la muerte por la ley levítica. Ambos casos se han tratado, por otros motivos, en distintos capítulos de este libro. Aquí se rescatan para señalar su vínculo con el incesto. Rubén, el primogénito del patriarca Jacob, se acostó con una de las concubinas de su padre. Otro de los hijos de Jacob, Judá, yació con su nuera, Tamar.

Ninguno de los infractores sufrió la pena capital. Sin embargo, las duras palabras que Jacob dirige a Rubén, desheredándolo, indican que acostarse con la mujer del padre se consideraba ya una abominación en los tiempos patriarcales. "No tendrás la primicia, porque subiste al lecho de tu padre. Cometiste entonces una profanación", le dice. El asunto es más complicado en el segundo caso. Judá yació con Tamar sin saber que era su nuera, ya que la muchacha se había disfrazado de meretriz para seducirlo y tener la descendencia que él le negaba al incumplir el compromiso de darle como marido al último de sus hijos. Al quedar en evidencia su embarazo, Tamar fue condenada a muerte por adúltera, pero se salvó al demostrar que el hijo que esperaba era de su suegro. Judá admitió su responsabilidad. Respecto a su relación posterior con Tamar, el narrador recalca que "no se acercó más" a ella, es decir, no volvieron a mantener relaciones sexuales. Esta aclaración pone de manifiesto que la unión que habían mantenido era censurable. Lo que no queda claro es si la censura obedecía en exclusiva al carácter adúltero de la relación o si se refería además al hecho de que ya en aquellos tiempos remotos se reprobaba el acto sexual de un hombre con su nuera.

Jacob, padre de Rubén y Judá, mantuvo también una relación que había de ser proscrita en la ley levítica: estaba casado con dos mujeres, Lía y Raquel, que eran hermanas entre ellas. El legislador prohibió este tipo de matrimonio para evitar rivalidades entre hermanas. A juzgar por la feroz competencia entre Lía y Raquel por ganarse los favores del marido, la ley tenía sobrado fundamento.

Amram y su tía Joquebed

La Biblia está llena de maravillosas paradojas. Una de las más fascinantes, sin duda, es la que atribuye a Moisés la prohibición de que un hombre se una carnalmente con su tía, ya que él mismo fue fruto de una relación de ese tipo.

El caudillo que liberó a los israelitas del yugo egipcio era hijo de Amram y Joquebed. Los narradores bíblicos apenas informan sobre esta pareja, pese a ser los progenitores del personaje más importante de la historia de Israel. Por los tiempos en que nació Moisés, el faraón había ordenado arrojar al río a todos los varones que nacieran entre los hebreos. Joquebed escondió a su hijo cuanto pudo, hasta que, a los tres meses de edad, lo introdujo en una cesta de papiro y lo dejó en la ribera del Nilo. La hermana del niño se quedó a poca distancia para ver qué sucedía. Bajó entonces la hija del faraón a bañarse en el río y descubrió la cestilla. Al abrirla vio al bebé, que lloraba. "Es un hijo de los hebreos", dijo con compasión, y decidió quedarse con él. La hermana preguntó a la hija del faraón si necesitaba una nodriza que le criase al niño. "Ve", obtuvo por respuesta, y la joven trajo a la madre de la criatura. "Toma este niño, críamelo, y yo te daré tu merced", le dijo la hija del faraón a la mujer. De ese modo

Joquebed no sólo salvó a su hijo de la muerte, sino que tuvo la posibilidad de criarlo. Cuando el niño estuvo grandecito, se lo llevó a la hija del faraón "y fue para ella como un hijo". El rastro de los padres de Moisés se pierde en ese momento hasta que, en el libro de Números, aparece una genealogía de los clanes israelitas donde se dice lacónicamente que "Caat engendró a Amram, y la mujer de Amram se llamaba Joquebed, hija de Leví, que le nació a Leví en Egipto". En otros pasajes de la Biblia se dice que Caat también era hijo de Leví. De modo que Joquebed era hermana de Caat y tía de Amram, su marido.

La tradición considera que todo el cuerpo legal del Pentateuco fue obra de Moisés bajo el dictado de Dios. De ser así, el gran profeta debió de pasar un mal trago cuando Dios le ordenó incluir el siguiente mandato, que censuraba lo que había hecho su propio padre: "Desnudez de hermana de tu madre y de hermana de tu padre no descubrirás, pues a su pariente deshonrará; su iniquidad llevarán". En realidad, dicha prohibición la redactó a finales del siglo VIII a. C. —cinco siglos después de la época de Moisés— el legislador del código levítico. Para entonces, la sociedad israelita había dejado muy atrás la vida endogámica de los clanes, en la que hermanos se casaban con hermanas, suegros copulaban con nueras y tías se juntaban con sobrinos.

Amnón y Tamar

Amnón, hijo del rey David, estaba enamorado de su media hermana Tamar. El amor se había convertido para Amnón en tormento y enfermedad, pues, al ser virgen la muchacha, "le parecía difícil obtener nada de ella". Amnón tenía un primo astuto llamado Jonadab, que le preguntó un día por qué se veía tan desmejorado. "Es que estoy enamorado de Tamar, la hermana de Absalón, mi hermano", le reveló

Amnón. Jonadab le dio la solución para sus males: le dijo que se tumbara en la cama y fingiera estar enfermo, y que cuando su padre fuera a visitarlo le dijera: "Que venga, por favor, mi hermana Tamar a darme de comer; que prepare delante de mí algún manjar para que lo vea yo y lo coma de su mano".

Amnón siguió las instrucciones de su primo, y consiguió que el rey le enviase a Tamar a su casa. La muchacha tomó harina, la amasó, hizo los pasteles y los puso a freír delante de su hermano; luego vació la sartén delante de él; pero Amnón no quiso comer. "Que salgan todos de aquí", ordenó. Y todos salieron. Entonces dijo Amnón a Tamar: "Tráeme la comida a la alcoba para que coma de tu mano". Cuando la muchacha le llevó las frituras y se las acercó para que comiese, él la sujetó. "Ven, acuéstate conmigo, hermana mía", le dijo. Ella le respondió: "No, hermano mío, no me fuerces, pues no se hace esto en Israel. No cometas esa infamia. ¿A dónde iría yo deshonrada? Y tú serías como un infame en Israel. Habla, te lo suplico, al rey, que no rehusará entregarme a ti". Pero Amnón no atendió su súplica "y forzándola se acostó con ella".

Aterrada ante la idea de ser violada y perder su virginidad, Tamar implora a Amnón que la pida por esposa al rey. Estas palabras pueden reflejar que la unión entre medios hermanos, castigada con la muerte en el código levítico, aún era aceptada en tiempos de la monarquía. Pero también podrían significar que dicha relación estaba ya prohibida y que lo que Tamar pretendía era un permiso excepcional del rey.

Herodes y Herodías

Un incesto —o para ser más exactos, la denuncia de un incesto— condujo a la muerte a Juan el Bautista. Herodes

Antipas, tetrarca de Galilea desde el año 4 a. C. hasta el año 39 d. C., había dejado a su primera mujer para casarse con Herodías, hija de su medio hermano Aristóbulo y ex esposa de otro medio hermano, Filipo, que la había repudiado. Juan el Bautista censuró el matrimonio de Antipas y Herodías, porque la ley levítica prohibía la unión entre un hombre y su cuñada. "No te es lícito tenerla", decía al tetrarca. Éste, por insistencia de su mujer, hizo encarcelar al molesto predicador e incluso quiso matarlo, pero se reprimió por miedo a la muchedumbre, que consideraba a Juan el Bautista un profeta.

En el cumpleaños de Herodes, la hija de Herodías con su anterior marido bailó delante de todos, y gustó de tal modo al tetrarca que prometió a la muchacha darle lo que quisiese. "Dame aquí, en la bandeja, la cabeza de Juan el Bautista", contestó la muchacha, inducida por su madre. Herodes "se entristeció", mas por la promesa hecha y la presencia de los convidados ordenó degollar al predicador. La cabeza fue traída en una bandeja y entregada a la joven, que se la llevó como trofeo a su madre.

La narración bíblica no ofrece detalles sobre el célebre baile que hizo perder, metafóricamente, la cabeza de Herodes y, literalmente, la del Bautista. Tampoco menciona a la bailarina por su nombre. La literatura extrabíblica la llamó Salomé. Herodes Antipas fue quien interrogó a Jesús la víspera de su crucifixión; Poncio Pilatos se lo había enviado porque, al ser Jesús galileo, estaba bajo su jurisdicción. Tras intentar sin éxito que el detenido contestara a sus preguntas, lo devolvió a Pilatos, no sin antes burlarse de él. En el año 39 d. C., Herodes Antipas fue depuesto y desterrado a la Galia por el emperador Calígula bajo la acusación de conspirar contra Roma. En una demostración de lealtad, Herodías lo acompañó en su destierro.

Capítulo XIII
Adulterio

“No codiciarás a la mujer de tu prójimo”

Los autores de la Biblia sentían una evidente obsesión al tratar el adulterio. Ninguna otra conducta relacionada con el sexo recibe tanta atención y es objeto de tan repetitivas prohibiciones. “No adulterarás”, sentencia el séptimo mandamiento del Decálogo, en el libro de Éxodo. “No tendrás comercio con la mujer de tu prójimo, manchándote con ella”, afirma el legislador del Levítico, y señala el castigo para los infractores: “Si adultera un hombre con la mujer de su prójimo, hombre y mujer adúlteros serán castigados con la muerte”. El libro de Deuteronomio recoge de nuevo el Decálogo, con su séptimo mandamiento: “No adulterarás”. El legislador deuteronómico reitera además, con sus propias palabras, el castigo para los adúlteros ya señalado en el código levítico: “Si se sorprende a un hombre acostado con una mujer casada, morirán los dos: el hombre que se acostó con la mujer y la mujer misma. Así harás desaparecer de Israel el mal”. En el caso de la desposada —es decir, la casada que aún vivía con sus padres a la espera de la consumación carnal con su marido—, el legislador establecía un matiz. Si era sorprendida con otro hombre en la ciudad, se castigaba a ambos con la muerte, por “no haber gritado” ella en petición de auxilio. En cambio, si se le sorprendía en el campo con otro hombre, y éste utilizó violencia para acostarse con ella, sólo el hombre era lapidado, porque "cogida en el campo, la joven gritó, pero no había nadie que la socorriese".

Los legisladores israelitas entendían el adulterio como la violación por un hombre de la propiedad de otro hombre. El delito propiamente dicho lo cometía el varón —casado o soltero— que se acostara con la mujer o la desposada aún virgen del prójimo. La esposa infiel era condenada a muerte junto a su amante, pero en calidad de propiedad violada. Casi como el buey que era sacrificado cuando un hombre mantenía relación sexual con él. El décimo mandamiento deja patente este concepto de que la mujer era un bien más del varón, al señalar: "No desearás la casa de tu prójimo, ni la mujer de tu prójimo, ni su siervo, ni su sierva, ni su buey, ni su asno, ni nada de cuanto le pertenece". Jesús fue mucho más lejos. Para él no hacían falta testigos del adulterio, ya que el pecado se cometía con sólo pensarlo. "Todo el que mira a una mujer deseándola, ya adulteró con ella en su corazón", dijo.

Mientras la mujer casada pagaba con la vida su infidelidad conyugal, el esposo podía mantener relaciones sexuales, sin incurrir en adulterio, con una esclava perteneciente a otro hombre o con una soltera libre. En ambos casos la ley le imponía sanciones, pero eran insignificantes en comparación con la muerte prevista para los adúlteros. En el primer caso, debía ofrecer un carnero en sacrificio a Yavé. En el segundo, debía casarse con la muchacha, con el añadido de que, si se hubiera tratado de un caso de violación y no de seducción, perdía el derecho a repudiarla en toda su vida. El esposo tenía otra posibilidad menos arriesgada de relación extramarital: recurrir a los servicios sexuales de una prostituta.

Las artimañas de la "mujer perversa"

Parece ser que el adulterio estaba muy extendido en Israel. De otra forma no se entendería tal avalancha de prohibiciones legales y consejos para evitar que los jóvenes fogosos sucumbieran a la tentación de acostarse con la mujer del prójimo, una tentación que podía costarles la vida. Los libros sapienciales previenen a menudo contra la "mujer perversa", como llaman a la casada proclive a la fornicación. Dice el Eclesiástico:

> No te sientes nunca junto a mujer casada
> ni te recuestes con ella a la mesa,
> ni bebas con ella vino en los banquetes,
> no se incline hacia ella tu corazón
> y seas arrastrado a la perdición.

El autor de los Proverbios describe con extraordinaria minucia las artimañas que una mujer casada utiliza para seducir a un muchacho aprovechando que su marido está en viaje de negocios. El narrador aconseja al joven que mantenga la entereza y le recuerda que el adulterio está penado con la muerte. El texto no tiene desperdicio:

> Guarda, hijo mío, los mandatos de tu padre
> y no des de lado las enseñanzas de tu madre.
> Ten siempre ligado a ellos tu corazón,
> enlázalos a tu cuello.
> Te servirán de guía en tu camino
> y volverán por ti cuando durmieres,
> y cuando te despiertes te hablarán;
> porque antorcha es el mandamiento, y luz la disciplina,
> y camino de vida la corrección del que te enseña.
> Para que te guarden de la mala mujer,
> de los halagos de la mujer ajena.

No codicies su hermosura en tu corazón,
no te dejes seducir por sus miradas;
porque si la prostituta busca un pedazo de pan,
la casada va a la caza de una vida preciosa.
¿Puede alguno llevar fuego en su regazo
sin quemarse los vestidos?
¿Quién andará sobre brasas
sin que se le abrasen los pies?
Así el que se acerca a la mujer ajena,
no saldrá indemne quien la toca.
¿No es tenido en poco el ladrón cuando roba
para saciar su hambre, si la tiene?
Y si es sorprendido, tendrá que pagar el séptuplo
de toda la hacienda de su casa.
Pero el adúltero es un mentecato;
sólo quien quiere arruinarse a sí mismo hace tal cosa.
Se hallará con palos e ignominia
y su afrenta no se borrará nunca.
Porque los celos del marido le ponen furioso
y no perdona el día de la venganza.
No se contentará con una indemnización
y no aceptará dones por grandes que sean.
Hijo mío, guarda mis palabras
y pon dentro de ti mis enseñanzas.
Guarda mis preceptos y vivirás,
sea mi ley como la niña de tus ojos.
Átatelos al dedo,
escríbelos en la tabla de tu corazón.
Di a la sabiduría: "Tú eres mi hermana",
y llama a la inteligencia tu pariente,
para que te preserven de la mujer ajena,
de la extraña de lúbricas palabras.
Estaba yo un día en mi casa a la ventana

mirando a través de las celosías,
y vi entre los simples un joven,
entre los mancebos un falto de juicio,
que pasaba por la calle junto a la esquina
e iba camino de su casa.
Era el atardecer, cuando ya oscurecía,
al hacerse de noche, en la tiniebla.
Y he aquí que le sale al encuentro una mujer
con atavío de ramera y astuto corazón.
Era parlanchina y procaz
y sus pies no sabían estarse en casa;
ahora en la calle, ahora en la plaza,
acechando por todas las esquinas.
Agarróle y le besó
y le dijo con toda desvergüenza:
"Tenía que ofrecer un sacrificio,
y hoy he cumplido ya mis votos.
Por eso te he salido al encuentro;
iba en busca de ti y ahora te hallo.
He ataviado mi lecho con tapices,
con telas de hilo recamado de Egipto;
he perfumado mi cámara
con mirra, áloe y cinamomo.
Ven, embriaguémonos de amores hasta la mañana,
hartémonos de caricias.
Pues mi marido no está en casa,
ha salido para un largo viaje;
se ha llevado la bolsa
y no volverá hasta el plenilunio".
Con la suavidad de sus palabras le rindió
y con sus halagos le sedujo;
y se fue tras ella entontecido,
como buey que se lleva al matadero,

como ciervo cogido en el lazo,
hasta que una flecha le atraviesa el hígado,
o como pájaro que se precipita en la red,
sin saber que le va en ello la vida.
Óyeme, pues, hijo mío,
y atiende a las palabras de mi boca.
No dejes ir tu corazón por sus caminos,
y no yerres por sus sendas.
Porque a muchos ha hecho caer traspasados
y son muchos los muertos por ella.
Su casa es el camino del sepulcro,
que baja a las profundidades de la muerte.

Juicio por adulterio

La muerte de los adúlteros se producía antiguamente en la hoguera, como a punto estuvo de perecer Tamar cuando descubrieron que estaba preñada de un presunto desconocido. Pero en algún momento impreciso fue adoptada la lapidación. Esta pena aparece en el código deuteronómico, redactado hacia finales del siglo VII a. C. La lapidación existía aún en tiempos de Jesús, como lo refleja el célebre episodio de la mujer adúltera narrado en el Evangelio de Juan. Deseosos de poner a Jesús en un dilema entre la ley romana y la judía, los escribas y fariseos se presentaron ante él con una mujer, y le dijeron: "Maestro, esta mujer ha sido sorprendida en flagrante delito de adulterio. En la Ley nos ordena Moisés apedrear a éstas; tú, ¿qué dices?". Jesús les respondió: "El que de vosotros esté sin pecado, arrójele la piedra el primero".

El código de Hammurabi, del siglo XVIII a. C., que ejerció una notable influencia en todas las naciones de Oriente, condenaba a los adúlteros a ser arrojados al río, pero permitía que el marido perdonara a su mujer y, por extensión, a su amante. La Ley Asiri, del siglo XIII a. C., también dejaba en manos del marido la decisión final sobre el destino de su esposa, subrayando que dicha decisión sería aplicada en términos semejantes a quien faltó con su mujer. La ley israelita se limitaba a decretar la muerte para los infractores, sin aclarar si quedaba lugar o no para la compasión. Es probable que también en la sociedad israelita el marido tuviera la potestad para perdonar a la mujer infiel. Así lo sugieren los discursos alegóricos de algunos profetas, en los que Yavé perdona a sus esposas Israel y Judá después de que han fornicado con otros dioses.

Llegar a una condena de muerte no era sencillo. La ley exigía un juicio escrupuloso —normalmente frente a la casa del acusado— con al menos dos testigos que aseguraran haber presenciado el delito. La figura del abogado era desconocida. En una medida concebida para que los testigos actuaran en conciencia y no tuvieran la menor duda sobre la culpabilidad del acusado, la ley disponía que arrojasen las primeras piedras en caso de una sentencia condenatoria. Si en el curso del juicio se descubría que los testigos estaban confabulados para levantar falso testimonio, se les castigaba con la misma pena que pedían para el acusado. Las acusaciones debían coincidir en todos sus detalles. Tras escuchar a los testigos, el tribunal de ancianos pronunciaba el veredicto. Si el acusado era hallado culpable, aún le quedaba una posibilidad de salvación: camino del lugar de la ejecución, el tribunal preguntaba al pueblo si alguien tenía algo que decir en favor del condenado, en cuyo caso se reabría el juicio.

Es probable que, en la práctica, la pena de muerte por adulterio se aplicase raramente. Primero, porque no era común que dos o más testigos sorprendieran *in fraganti* a una pareja de amantes. Y segundo, porque la persona normalmente interesada en descubrir la infidelidad de la mujer

—su marido— tenía la posibilidad de divorciarse con relativa facilidad alegando cualquier motivo, sin pasar por el trago amargo de airear su deshonra en un juicio.

El juicio de Susana

El caso de Susana, recogido en el libro de Daniel, da una idea de cómo se desarrollaba un juicio por adulterio, al menos en el siglo II a. C., del que data el texto. Susana era una mujer "muy hermosa y temerosa de Dios". Su marido, Joaquín, hombre muy rico, gozaba de enorme prestigio entre sus correligionarios judíos. A la casa de la pareja empezaron a acudir dos ancianos que acababan de ser elegidos jueces por el pueblo. Con el paso del tiempo los dos insignes visitantes comenzaron a desear a Susana, atraídos por su extraordinaria belleza.

Un día los ancianos se escondieron en el jardín de la casa y esperaron la oportunidad para sorprender a Susana a solas. La mujer no tardó en salir acompañada de dos jóvenes doncellas. Como el día era caluroso, decidió darse un baño. Dijo entonces a las doncellas que le trajeran aceite y perfume y cerraran las puertas que daban al jardín. En cuanto se marcharon sus acompañantes, aparecieron los dos jueces lascivos y dijeron a Susana que se entregara a ellos. "Las puertas están cerradas, nadie nos ve, y nosotros sentimos pasión por ti; consiente, pues, y entrégate a nosotros; de lo contrario daremos falso testimonio contra ti de que estabas con un joven y por esto despediste a las doncellas", la amenazaron. Susana se puso a gemir por el aprieto en que se encontraba. Finalmente decidió que era mejor morir a causa de un falso testimonio que cometer ante los ojos de Dios el pecado de adulterio, y comenzó a gritar. Los dos ancianos gritaron también contra ella, y uno de ellos corrió a abrir las puertas del jardín. Al oír la algarabía, los criados se asomaron para ver qué ocurría, y los ancianos les contaron su versión.

A la mañana siguiente, el pueblo se reunió en casa de Joaquín para juzgar a la supuesta adúltera. Los dos testigos de cargo mandaron traer a Susana, que compareció acompañada de sus padres, de sus hijos y de todos sus parientes. Los dos ancianos "pusieron sus manos sobre la cabeza de Susana" y expusieron su testimonio. Dijeron: "Mientras nos paseábamos solos por el jardín, entró ésta con dos doncellas y, cerrando la puerta, despidió a las dos doncellas. Enseguida se acercó un joven que estaba escondido en el jardín y se acostó con ella. Y hallándonos nosotros en un ángulo del jardín, vimos la maldad y corrimos a ellos, y los vimos que estaban pecando, pero no pudimos detener al joven, por ser más fuerte que nosotros, y abriendo las puertas, se escapó. Pero tomamos a ésta, y preguntándole quién fuese el joven, no quiso decírnoslo. De esto damos nosotros testimonio". El tribunal les creyó, porque los testigos eran también ancianos y jueces, y Susana fue condenada a muerte.

Cuando la mujer era conducida al lugar de la lapidación, un muchacho muy joven llamado Daniel gritó: "Yo soy inocente de esta sangre". La gente del pueblo le pidió que se explicase, y él respondió: "¿Tan insensatos sois, hijos de Israel, que, sin inquirir ni poner en claro la verdad, condenáis a esa hija de Israel? Volved al tribunal, porque éstos han testificado falsamente contra ella". El pueblo volvió entonces a casa de Joaquín, y los ancianos de la asamblea invitaron a Daniel a que se sentara entre ellos y hablara. Daniel pidió interrogar a los testigos por separado. Cuando estuvo a solas con uno de ellos, le preguntó bajo qué árbol había sorprendido a los supuestos amantes, y el anciano respondió: "Bajo un lentisco". Hizo después la misma pregunta al segundo, y éste respondió: "Bajo una encina". Tras escuchar las versiones contradictorias de los testigos, la asamblea absolvió a Susana y aplicó a los dos ancianos lascivos la misma condena que habían querido infligir a la muchacha.

El "rito de los celos"

Cuando un hombre sospechaba que su mujer le era infiel, pero carecía de pruebas, podía llevarla ante el sacerdote para que le practicara el "rito de los celos". Se trataba de una prueba siniestra emparentada con las ordalías de la Edad Media, en la que los tribunales apelaban al castigo o el perdón divinos para obtener la confesión del acusado.

El ritual es descrito con todo detalle en el libro de Números. El marido debía presentarse ante el sacerdote con su mujer y una ofrenda consistente en la décima parte de un efá (más o menos 1,7 kilos) de harina de cebada. El sacerdote iniciaba el ritual poniendo a la mujer "ante Yavé". A continuación llenaba un vaso de barro con "agua amarga" —tomada quizá de una pila de bronce como la descrita en Éxodo—, y esparcía sobre el agua "polvo de la Morada", en referencia al tabernáculo. Se dirigía entonces a la mujer, que permanecía de pie con la ofrenda en las manos y con la cabeza descubierta en señal de penitencia, y le decía: "Si no ha dormido contigo ninguno y si no te has descarriado, contaminándote y siendo infiel a tu marido, indemne seas del agua amarga de la maldición; pero si te descarriaste y fornicaste infiel a tu marido, contaminándote y durmiendo con otro, hágate Yavé maldición y execración en medio de tu pueblo y séquense tus muslos e hínchese tu vientre, entre esta agua de maldición en tus entrañas para hacer que tu vientre se hinche y se pudran tus muslos". La mujer debía responder: "¡Amén, amén!". El sacerdote tomaba entonces la ofrenda que sostenía la mujer, quemaba un puñado de la harina en el altar e instaba a la supuesta adúltera a beber el contenido del vaso.

La finalidad de tan escalofriante ritual era que la mujer, si había sido infiel, confesara su culpabilidad con tal de no beber el brebaje supuestamente destructivo y espantoso. En tal caso el marido debía optar entre divorciarse o perdonarla; no podía reclamar la pena de muerte prevista para el adulterio, pues, como ya se explicó, este castigo sólo podía aplicarse tras un juicio con dos o más testigos que hubieran presenciado el delito. Ahora bien, si la mujer bebía el contenido del vaso y nada le sucedía, al marido se le presentaba el dilema entre reconocer la fidelidad de su esposa o seguir prisionero de los celos.

La matriarca Sara y el faraón

En el capítulo anterior, al tratar el incesto, mencionamos tres relatos muy curiosos en los que Abraham e Isaac presentaban como hermanas suyas a sus bellísimas esposas para evitar que los matasen por ellas. En dos de ellos —los que tienen como escenario a Guerar— los narradores dejan muy claro que la artimaña de supervivencia de los patriarcas no condujo a sus mujeres al adulterio. En el primero, el rey Abimélec toma a Sara, pero la devuelve sin haberse acercado a ella después de que Dios le revelase en sueños que es la mujer de Abraham. En el segundo, Abimélec descubre a Isaac y Rebeca acariciándose, y los invita a abandonar el pueblo antes de que alguno de sus súbditos tome a Rebeca sin saber que es casada. El problema estriba en el tercero de los relatos, el que protagoniza Abraham en Egipto.

La historia es como sigue: en una época de hambruna en Canaán, Abraham (aún llamado Abram) y su mujer Sara (entonces llamada Sarai) bajaron a Egipto para pasar allí una temporada. Cuando estaban próximos a entrar en el país del

Nilo, Abram dijo a su esposa: "Mira que sé que eres mujer hermosa, y cuando te vean los egipcios dirán: 'Es su mujer', y me matarán a mí, y a ti te dejarán con vida; di, pues, te lo ruego, que eres mi hermana, para que así me traten bien por ti, y por amor de ti salve yo mi vida".

Lo que sucedió a continuación lo cuenta de la siguiente manera la Biblia: "Cuando hubo entrado Abram en Egipto, vieron los egipcios que su mujer era muy hermosa; y viéndola los jefes del faraón se la alabaron mucho, y la mujer fue llamada al palacio del faraón. A Abram le trataron muy bien por amor de ella, y tuvo ovejas, ganados y asnos y camellos. Pero Yavé afligió con grandes plagas al faraón y a su casa por Sarai, la mujer de Abram; y llamando el faraón a Abram, le dijo: '¿Por qué me has hecho esto? ¿Por qué no me diste a saber que era tu mujer? ¿Por qué dijiste: es mi hermana, dando lugar a que la tomase yo por mujer? Ahora, pues, ahí tienes a tu mujer; tómala y vete'. Y dio el faraón órdenes acerca de él a sus hombres, y le despidieron a él y a su mujer con todo cuanto era suyo".

Este relato deja dudas sobre si Sara llegó a acostarse con el faraón o no. Más bien sugiere lo primero. Los rabinos de tiempos posteriores han sentido la necesidad de aclarar qué ocurrió realmente durante la estancia de la matriarca en el palacio del rey egipcio. Por supuesto, ellos dan por sentado que la gran matriarca del pueblo judío no llegó a consumar la unión carnal con el rey de Egipto. Varios *midrashim* —comentarios rabínicos escritos y recopilados entre los siglos II y XII d. C.— sostienen que Abram, después de que su mujer fuera llevada ante el faraón, se puso a llorar e imploró a Dios para que Sarai conservase su integridad. Dios atendió sus súplicas, y envió un ángel para que la protegiera. Cuando el faraón intentó abrazar a Sara, recibió un golpe de una mano invisible. Lo mismo sucedió cuando trató de quitarle el calzado y la ropa. En ésas se le fue la noche al faraón, que no consiguió copular con la hermosa forastera. A la mañana siguiente, vio con horror rastros de lepra en los rostros de sus eunucos. Entonces Sarai le confesó que era mujer de Abram. El faraón la devolvió de inmediato a su marido, y para congraciarse con éste, le regaló aún más riquezas de las que ya le había dado.

El gran adulterio: David y Betsabé

De todas las historias de adulterio narradas en la Biblia, la más famosa es, sin ninguna duda, la del rey David y Betsabé, que se cuenta con lujo de detalles en el libro segundo de Samuel.

Una tarde, mientras David se paseaba por el terrado de su palacio, divisó a una mujer que se estaba bañando. Era muy hermosa. Mandó preguntar quién era, y le informaron de que se trataba de Betsabé, mujer de Urías el jeteo, destacado oficial del ejército y miembro del cuerpo de élite de los Treinta. A pesar de que se trataba de una mujer casada, David ordenó que la trajeran a su presencia, y se acostó con ella, que estaba "purificada de su impureza". Es decir, acababa de pasar el período menstrual. Betsabé, cómo no, quedó embarazada y se lo hizo saber a David.

El monarca, hombre frío y calculador, mandó decir a Joab, general de sus ejércitos, que le enviara a Urías. El ejército israelita se encontraba lejos, sitiando a Rabbá, capital del vecino reino de Amón. Cuando Urías llegó a presencia de David, el rey le hizo algunas preguntas protocolarias sobre el estado de la guerra, y a continuación le dijo: "Baja a tu casa y lávate los pies". Aunque el narrador no lo dice de modo explícito, el objetivo de David era que Urías fuese a su hogar y se acostara con su mujer, con el fin de que más adelante creyera que el hijo que Betsabé esperaba era suyo.

Pero Urías, en un acto de solidaridad con sus compañeros que estaban en el frente de guerra, no fue a su casa, sino que se acostó a las puertas del palacio.

Cuando le informaron al día siguiente de lo ocurrido, David dijo a Urías: "¿No acabas de llegar de camino? ¿Por qué no bajaste a tu casa?". Invulnerable a la tentación, el guerrero respondió: "El arca, Israel y Judá habitan en tiendas; mi señor, Joab, y los servidores de mi señor acampan al raso, ¿e iba yo a entrar en mi casa para comer y beber y dormir con mi mujer?".

El rey no se dio por vencido. Hizo quedar un día más a Urías en Jerusalén. Lo invitó a comer y, durante la comida, lo hizo beber hasta emborracharle, pensando seguramente que en su embriaguez acudiría por fin adonde su esposa. Pero al caer la tarde Urías no se dirigió a su casa, sino que volvió a acostarse a las puertas del palacio.

El monarca decidió entonces cambiar de estrategia. Y lo hizo de un modo brutal. A la mañana siguiente devolvió a Urías al frente de guerra, con una carta para el general Joab. La misiva, cuyo contenido ignoraba el emisario, decía: "Poned a Urías en el punto donde más dura sea la lucha, y cuando arrecie el combate, retiraos y dejadle solo para que caiga muerto".

En cumplimiento de las órdenes del monarca, Joab envió a Urías a una batalla feroz en la que el ejército de Israel sufrió importantes pérdidas. Al ser informado por un mensajero del desastre militar, David montó en cólera, pero su furia se aplacó cuando supo que Urías figuraba entre los muertos. Informada de la muerte de su marido, Betsabé cumplió el duelo que prescribía la ley, tras lo cual el rey envió por ella y la hizo su mujer. Al cabo de un tiempo Betsabé quedó embarazada. Pero —señala la Biblia— "lo que había hecho David fue desagradable a los ojos de Yavé".

Una tarde, el profeta palaciego Natán se presentó ante el monarca y le contó una historia sobre dos hombres, uno rico y otro pobre. El rico poseía muchas ovejas y vacas, mientras que el pobre no tenía más que una sola oveja, que era para él como una hija, ya que el animal había crecido junto a sus hijos "comiendo de su pan y bebiendo de su vaso y durmiendo en su seno". Un día llegó un viajero a casa del rico, y éste, para no tocar a sus ovejas y bueyes, tomó la oveja del pobre para dar de comer a su huésped.

—Vive Yavé que el que tal hizo es digno de la muerte, y que ha de pagar la oveja por cuadruplicado, ya que hizo tal cosa sin tener compasión —exclamó encolerizado David al escuchar el relato.

—¡Tú eres ese hombre! —le replicó Natán. Y a continuación le soltó una dura reprimenda—: He aquí lo que dice Yavé, Dios de Israel: Yo te ungí rey de Israel y te libré de las manos de Saúl. Yo te he dado la casa de tu señor, y he puesto en tu seno las mujeres de tu señor, y te he dado la casa de Israel y de Judá; y por si esto fuera poco, te añadiría todavía otras cosas mucho mayores. ¿Cómo, pues, menospreciando a Yavé, has hecho lo que es malo a sus ojos? Has herido a espada a Urías, jeteo; tomaste por mujer a su mujer, y a él le mataste con la espada de los hijos de Ammón. Por eso no se apartará ya de tu casa la espada, por haberme menospreciado, tomando por mujer a la mujer de Urías, jeteo. Así dice Yavé: Yo haré surgir el mal contra ti de tu misma casa, y tomaré ante tus mismos ojos a tus mujeres, y se las daré a otro, que yacerá con ellas a la cara misma de este sol; porque tú has obrado ocultamente, pero yo haré esto a la presencia de todo Israel y a la cara del sol.

—He pecado contra Yavé —admitió David, en un acto de humildad.

A lo que el profeta le respondió:

—Yavé te ha perdonado tu pecado. No morirás; mas por haber hecho con esto que menospreciasen a Yavé sus enemigos, el hijo que te ha nacido morirá.

La maldición divina se cumplió al pie de la letra. El niño que parió Betsabé murió de una enfermedad siete días después de su nacimiento. La tragedia se cebó también en los demás hijos de David: Amnón violó a su media hermana Tamar, tras lo cual fue asesinado por el hermano de ésta, Absalón. Éste, a su vez, se sublevó contra el monarca, y murió a manos de los escuderos del general Joab. Antes de que la revuelta fuera aplastada, Absalón alcanzó a acostarse con las concubinas de su padre. Por último, poco después de la muerte de David, el sucesor, Salomón, mandó eliminar a su medio hermano Adonías.

Lo llamativo de la historia es que los dos protagonistas del adulterio no resultaron víctimas directas de su delito. Por lo menos Betsabé debió ser lapidada sin necesidad de testigos, pues su barriga delataba que había quedado encinta mientras su marido estaba ausente. Sin embargo, no corrió esa suerte. El rey David, a su vez, murió de muerte natural, lo cual no quiere decir que feliz: cuenta la Biblia que en sus últimos años tuvo un acceso de frío, y por más ropas que le ponían encima, no entraba en calor.

¿Qué significa esta historia? ¿Por qué la Biblia dejó constancia de un suceso tan grave como el adulterio del más grande de los reyes de Israel? ¿Por qué nadie borró de la obra semejante infamia? Para entenderlo, es preciso hablar una vez más de los entresijos políticos del Antiguo Testamento. Los dos libros de Samuel, donde aparece en su práctica totalidad la historia del rey David, fueron escritos hacia finales del siglo VII a. C. (casi cuatro siglos después de la monarquía davídica) por la fuente *D*. Este narrador se identificaba con el antiguo círculo sacerdotal de la ciudad de Siló, que tuvo un gran protagonismo durante el reinado de David, pero que fue expulsado por el sucesor de éste, Salomón, quedando desde entonces el poder religioso en manos exclusivas del sacerdocio aarónida.

No debe sorprender que el autor *D* aprovechara cualquier pretexto para enlodar a Salomón. ¿Y qué mejor que presentarlo como hijo de una adúltera? El problema es que, al denigrar a Salomón, el narrador ponía al descubierto el delito del rey David, a quien admiraba. Para resolver el *impasse*, presentó a David recibiendo con humildad la reprimenda del profeta Natán —lo que le mereció el perdón de Yavé— y purgando su pecado con grandes tragedias familiares. Pese a estos atenuantes, David sale manchado del episodio. Pero eso no importa. Tal como queda patente en su vasta obra, al narrador *D* sólo le interesaba presentar como perfecto a un monarca, su contemporáneo Josías, quien reinó poco antes de la caída de Jerusalén.

Los libros de Crónicas, que recogen de nuevo la historia de los reyes de Israel, no hacen ninguna mención del adulterio del rey David. ¿Una omisión involuntaria? De ninguna manera. Esos textos, como ya se vio, son obra de un sacerdote identificado con el círculo aarónida. Y un aarónida jamás hubiera presentado a su gran valedor Salomón naciendo de un adulterio.

Capítulo XIV
Putas callejeras, prostitución sagrada

Un oficio tolerado

En el antiguo Israel, el oficio de la prostitución era objeto de reprobación moral, pero no estaba legalmente prohibido. Cuando el legislador levítico dice: "No profanes a tu hija, prostituyéndola", habría que entenderlo en referencia a ciertos ritos paganos que algunos expertos identifican con la prostitución sagrada, como se verá más adelante. Los narradores bíblicos llaman prostituta (*zoná*, en hebreo) a la mujer que se dedica al oficio, pero aplican también el término, con intención insultante, a toda mujer que mantiene relaciones sexuales fuera del matrimonio. Cuando Tamar queda encinta de un supuesto desconocido, y por lo tanto es sospechosa de adulterio, la gente informa a Judá de que su nuera se ha "prostituido y quedado encinta a causa de sus prostituciones". La muchacha que no llegaba virgen al matrimonio era condenada a muerte por haberse "prostituido en la casa paterna". También se *prostituyen*, según el lenguaje bíblico, quienes adoran a dioses de otros pueblos: en sus discursos alegóricos, los profetas presentan con frecuencia a Israel y Judá como putas que engañaban a Yavé con dioses rivales.

La ley mosaica achaca a las prostitutas —lo mismo que a las viudas y repudiadas— una condición de impureza ritual, al impedir que puedan ser esposas de sacerdotes. Algunos libros sapienciales tardíos contienen mensajes contra el oficio de la prostitución, pero, más que denigrar directamente a la meretriz o reclamar su proscripción, intentan persuadir al varón de que no recurra a sus servicios. "El que ama la sabiduría, alegra a su padre, el que anda con prostitutas, dilapida su fortuna", dice el autor de Proverbios. "No te entregues a meretrices, no vengas a perder tu hacienda", aconseja el Eclesiástico. En contraste con tales mensajes, una prostituta de nombre Rahab llegó a desempeñar un papel decisivo en la conquista israelita de Canaán, como se verá más adelante.

A la vera del camino

¿Cómo ejercían su actividad las meretrices en el antiguo Israel? ¿Cuánto cobraban por sus servicios? ¿Utilizaban algún tipo especial de indumentaria? El relato de Tamar y Judá, al que nos hemos referido varias veces en este libro, aporta algunos detalles interesantes sobre la práctica del oficio. Uno de ellos es que la prostituta se tapaba la cara con un velo. Según la narración, cuando Judá vio a Tamar "pensó que era ramera, porque cubría su rostro". Otro es que la meretriz se exhibía a sus potenciales clientes colocándose a orillas del camino, a las afueras del pueblo, como hacen hoy las prostitutas en numerosas ciudades modernas. Cuenta la Biblia que Tamar "se sentó a la entrada de Enaím, en el camino de Tamna" para tender la celada a su suegro. El precio del servicio se discutía y podía abonarse en especie. "¿Qué vas a darme por entrar a mí?", dice Tamar a Judá, y éste le ofrece un cabrito de su rebaño. La propuesta de Judá da una idea del precio del *revolcón*: la cabra era un animal muy apreciado por los israelitas, ya que proporcionaba leche y carne y servía para ofrecer holocaustos.

El problema con este relato es que queda la duda de si Tamar se disfrazó de simple meretriz o de prostituta sagrada. Según la narración, Judá la tomó por una *zoná* (*ramera*), pero más adelante, cuando manda a un amigo a pagarle el servicio, éste pregunta a los lugareños si han visto a una *qdeshá* (*consagrada*). Las tradiciones judía y cristiana, así como numerosos expertos, siempre han asociado ese término con la prostitución sagrada, lo que crea cierta confusión en esta historia.

Al margen de esta duda, cabe preguntarse si las prostitutas ejercían su oficio a las afueras de la ciudad o si lo practicaban también dentro de casas, como parece sugerirlo el relato de Rahab y los espías israelitas.

La meretriz que ayudó a conquistar Canaán

Poco antes de la conquista de Canaán, Josué, el sucesor de Moisés, encargó a dos de sus hombres que explorasen el territorio que se disponían a invadir. Los espías llegaron a Jericó y fueron a la casa de una prostituta llamada Rahab, donde pernoctaron. Enterado de la presencia de los forasteros, el rey de Jericó mandó decir a Rahab que los hiciera salir de su vivienda. Pero la mujer escondió a sus huéspedes en el terrado, entre unos haces de lino, y respondió al monarca que en su hogar habían estado unos hombres, cuyas identidades y procedencia ignoraba, pero al caer la tarde se habían marchado con rumbo desconocido. Los emisarios del rey salieron entonces en persecución de los espías fuera de la ciudad. Conjurado el peligro, la prostituta subió al terrado y dijo a los dos israelitas: "Os pido que me juréis por Yavé que, como yo he tenido misericordia de vosotros, la tendréis vosotros también de la casa de mi padre, y dejaréis la vida a mi padre, a mi madre, a mis hermanos y hermanas y a todos los suyos, y que nos libraréis de la muerte". "Cuando Yavé nos entregue esta tierra haremos contigo misericordia y lealtad", le respondieron los dos forasteros. Le entregaron entonces un cordón de hilo escarlata para que lo colocara en la ventana, de modo que los israelitas identificaran la casa en el momento de la conquista y no hicieran daño a sus moradores. A continuación, Rahab los ayudó a descolgarse con una cuerda por la ventana, "pues su casa estaba adosada a la muralla", y quedaron así a salvo.

Más adelante, durante el asedio de Jericó, Josué comunicó a sus huestes que la ciudad sería consagrada a Yavé en anatema —lo que implicaba la muerte de todos sus habitantes—, pero recordó el pacto con Rahab. "Sólo Rahab, la prostituta, vivirá, ella y cuantos estén en su casa, por haber escondido a los exploradores que habíamos mandado", dijo. Tras derribar las murallas de Jericó mediante el legendario toque de trompetas, los israelitas irrumpieron en la ciudad y procedieron a pasar por la espada todo cuanto había en ella: hombres y mujeres, viejos y niños, bueyes y asnos. En medio de la matanza, Josué dijo a los dos espías que habían explorado previamente el país que entrasen en la casa de Rahab y la hiciesen salir con los suyos. Los espías obedecieron la orden y pusieron a salvo a la meretriz y a su familia. Los invasores incendiaron la ciudad. Sólo salvaron la plata, el oro y los objetos de bronce y de hierro, que destinaron a engrosar el tesoro de la casa de Yavé. En cuanto a Rahab, el narrador dice que "habitó en medio de Israel hasta hoy, por haber ocultado a los enviados por Josué a explorar Jericó".

De ese modo pasó Rahab a formar parte de la historia del pueblo judío. El Nuevo Testamento la convirtió también en una figura importante del cristianismo, hasta el punto de que el Evangelio de Mateo la cita como antepasada de Jesús. Para los padres de la Iglesia, el caso de Rahab demuestra que la salvación no está reservada sólo al pueblo de Israel, sino a todos los que reconocen la supremacía de Dios. En ese sentido hay que interpretar la Epístola de Pablo a los

Hebreos, cuando dice: "Por la fe, Rahab, la meretriz, no pereció con los incrédulos, por haber acogido benévolamente a los espías". La Epístola de Santiago va en la misma línea al afirmar: "Asimismo, Rahab, la meretriz, ¿no se justificó por las obras, recibiendo a los mensajeros y despidiéndolos por otro camino?".

¿Por qué los espías israelitas fueron a parar justo a la casa de una ramera cuando entraron a explorar Canaán? En la Biblia hebrea, Rahab es descrita como *zoná.* Como ya se ha visto, la palabra significa *prostituta,* pero contiene al mismo tiempo la raíz *zan,* que significa *alimentar* o *nutrir.* A partir de esa doble acepción, algunos expertos sostienen que Rahab era una meretriz que al mismo tiempo regentaba un mesón o posada. Alguien podrá preguntarse: ¿Y no cabe la posibilidad de que fuera tan sólo una mesonera sin relación con la prostitución? No parece probable, ya que el narrador bíblico se hubiera preocupado por evitar las ambigüedades y los equívocos al describir el oficio de la mujer. El hecho es que, tanto para la tradición judía como para la cristiana, Rahab fue una prostituta.

Un juez hijo de prostituta

Lo dice sin rodeos la propia Biblia: Jefté, uno de los jueces más heroicos del período turbulento que siguió a la conquista de Canaán, era "hijo de una meretriz". Jefté nació en el territorio de Galaad, en la Trasjordania. Cierto día abandonó su casa después de que sus medios hermanos, nacidos de la esposa legítima de su padre, le manifestaran que él no compartiría la herencia porque era hijo de "otra mujer".

En el exilio, Jefté organizó una banda de asaltantes. Tiempo después, el territorio de Galaad fue objeto de un ataque brutal por parte del ejército ammonita. Los ancianos de la tribu, desesperados, buscaron a Jefté, seguramente atraídos por su reputación de excelente guerrero, y le propusieron que asumiera el papel de caudillo contra los agresores. Jefté les contestó: "¿No sois vosotros los que me aborrecéis y me arrojasteis de la casa de mi padre? ¿A qué venís a mí ahora, cuando os veis en aprieto?". A pesar de todo, Jefté aceptó finalmente la propuesta e infligió una humillante derrota a los ammonitas. Durante seis años ejerció el cargo de juez de Israel y, al morir, recibió sepultura en su ciudad, Mispá, de la que se había marchado algunos años antes.

¿Por qué el narrador bíblico dejó constancia de que uno de sus jueces más notables fue hijo de una prostituta, en lugar de suprimir ese dato biográfico? Una respuesta podría ser que así ocurrió en la realidad, y que el autor, basado en testimonios orales o escritos, decidió reproducir fielmente unos hechos ocurridos varios siglos antes de su tiempo. También es posible que se trate de un relato alegórico sobre acontecimientos políticos sucedidos en Galaad. Jefté sería en realidad, más que un individuo, un grupo dentro de Galaad inclinado a adorar a dioses extraños, por lo cual se le consideró "hijo de una prostituta" y fue expulsado del grupo; pero más adelante, merced a una alianza guerrera, volvió a integrarse en la tribu con un papel de liderazgo.

Sansón y la meretriz de Gaza

A Sansón, uno de los jueces de Israel, se le recuerda sobre todo por su fuerza extraordinaria y por su romance con la pérfida Dalila, causante de su trágico final. Pero el héroe mantuvo relaciones con al menos otras dos mujeres, filisteas al igual que Dalila, una de las cuales ejercía la prostitución. Su relación con esta última es contada así en la Biblia: "Fue Sansón a Gaza, donde había una meretriz, a la cual entró. Se dijo a los de Gaza: "Ha venido Sansón". Y le cercaron, estando toda la noche al acecho junto a la puerta de la ciudad; y se mantuvieron callados toda la noche con esta consigna: 'Al despuntar la mañana le mataremos'. Sansón estuvo acostado hasta medianoche. A medianoche se levantó, y cogiendo las dos hojas de la puerta de la ciudad, con las jambas y el cerrojo, se las echó al hombro y las llevó a la cima del monte que mira hacia Hebrón".

¿Por qué el autor bíblico incluyó en el libro de Jueces este episodio aparentemente marginal en que un juez israelita pasa la noche con una prostituta filistea? Es una de las tantas incógnitas que pueblan el Antiguo Testamento. Quizá el narrador pretendía tres cosas a la vez: contar alegóricamente la compleja relación que la tribu de Dan —a la que pertenecía Sansón— mantuvo con sus vecinos filisteos; presentar a estos como un pueblo disoluto proclive a la prostitución; y aleccionar a los israelitas sobre los riesgos de mezclarse con mujeres extranjeras: la inclinación de Sansón hacia las filisteas lo condujo a un terrible final. Y si eso ocurrió con un juez bendecido por Dios, qué no podría suceder a cualquier otro hijo de Israel que se aparte de la buena senda.

El juicio de Salomón

El libro primero de Reyes recoge el famoso juicio de Salomón, que ha pasado a la historia como paradigma de la justicia intuitiva, en contraste con la justicia de pruebas en que se basa el moderno derecho procesal. Quien más, quien menos, todo el mundo ha escuchado hablar del célebre pleito bíblico, del que proviene la expresión "solución salomónica". Sin embargo, hay un detalle que suele ser poco recordado, y es que sus protagonistas eran dos prostitutas.

Las dos mujeres compartían casa y habían dado a luz con una diferencia de tan sólo tres días. Uno de los bebés murió al poco tiempo de nacer; el otro seguía vivo. Ambas mujeres aseguraban ser la madre del superviviente. Como ninguna daba su brazo a torcer, llevaron el litigio ante el rey Salomón. La primera en tomar la palabra sostuvo que el otro niño había muerto una noche aplastado por el cuerpo de su madre y que ésta, aprovechando que su compañera estaba dormida, había cambiado los dos bebés para quedarse con el vivo. "No, mi hijo es el que vive; es el tuyo el que ha muerto", dijo la otra pleiteante. "No; tu hijo es el muerto, y el mío el vivo", replicó la primera.

Mientras las dos prostitutas se enfrascaban en una agria discusión, el rey Salomón pidió que le trajesen una espada. Cuando la orden fue cumplida, dijo: "Partid por el medio al niño vivo y dad la mitad de él a la una y la otra mitad a la otra". Una de las querellantes pidió que no mataran a la criatura y que se la entregasen a la otra mujer, mientras que ésta dijo: "Ni para mí ni para ti: que le partan". Al escuchar ambas reacciones, el monarca ordenó que entregasen el niño a la primera: ella era su verdadera madre, pues prefería, por encima de cualquier otra consideración, que el pequeño continuara con vida.

El relato contiene una reprobación implícita a la prostitución, ya que el hecho de que las dos mujeres se disputen la maternidad de un recién nacido sugiere unas vidas degradadas y promiscuas. Sin embargo, el rey Salomón emite su veredicto sin entrar en consideraciones morales ni de ningún otro tipo sobre la actividad de las litigantes. Muchas personas utilizan hasta el día de hoy la expresión "solución salomónica" para describir una sentencia equitativa para las partes. En realidad, lo que hizo el rey Salomón fue plantear una solución aparentemente equitativa pero aberrante —partir al niño en dos— con el fin de calibrar la reacción de los litigantes y pronunciar una sentencia justa.

El hijo pródigo

¿Cuántas personas gastan buena parte de su dinero en prostitutas? La siguiente historia figura en el Evangelio de Lucas y se conoce popularmente como la leyenda del hijo pródigo. Un hombre tenía dos hijos. Cierto día el más joven le pidió su parte correspondiente en la hacienda familiar. El padre dividió el patrimonio entre los dos hijos, y el joven se marchó a una tierra lejana, donde "disipó toda su hacienda viviendo disolutamente". Tras quedar en la ruina, empezó a trabajar para un hombre apacentando sus puercos, hasta que, recordando la buena vida que se pegaba en su casa, decidió regresar. Cuando su padre lo columbró en la distancia, corrió hacia él y, arrojándose a su cuello, lo colmó de besos. "Padre, he pecado contra el cielo y contra ti; ya no soy digno de ser llamado hijo tuyo". Pero el padre ordenó a sus criados que le trajeran la túnica más fina y que le pusieran un anillo de oro en la mano y unas sandalias en los pies. Dio además instrucciones para que preparasen un gran banquete. "Comamos y alegrémonos, porque éste es mi hijo, que había muerto y ha vuelto a la vida", dijo.

Cuando el hijo mayor regresó del campo y advirtió la algarabía, preguntó qué sucedía. Uno de los criados le contó que su hermano había vuelto y que el padre daba una fiesta en su honor. El hijo mayor se enojó y no quiso entrar en la casa. Cuando su padre le pidió que pasase, le recriminó: "Hace ya tantos años que te sirvo sin jamás haber traspasado tus mandatos, y nunca me diste un cabrito para hacer una fiesta con mis amigos, y al venir este hijo tuyo, que ha consumido su fortuna con meretrices, le matas un becerro cebado". El padre le respondió: "Hijo, tú estás siempre conmigo y todos mis bienes tuyos son; mas era preciso hacer fiesta y alegrarse, porque éste tu hermano estaba muerto y ha vuelto a la vida, se había perdido y ha sido hallado".

"Salario de perro": la prostitución sagrada

A lo largo de toda su accidentada historia, Israel y Judá fueron sometidos a una fuerte presión cultural y religiosa desde las naciones vecinas. Los narradores bíblicos dan cuenta, con manifiesta indignación, de cómo llegaron a popularizarse en la sociedad israelita ciertos ritos que se celebraban en los "lugares altos", en honor de dioses y diosas de otros pueblos. Dentro de esa invasión de paganismo, personas de ambos sexos denominadas *qadesh* (*consagrado*) o su femenino *qdeshá* ocuparon puestos en el templo con unos fines que no se precisan, pero que las tradiciones judía y cristiana, así como numerosos expertos, siempre han vinculado con la prostitución sagrada. De acuerdo con esta interpretación, en determinadas festividades había varones y hembras que prestaban sus servicios sexuales a los hombres de la congregación a cambio de un tributo para el templo. Las traducciones de la Biblia dan por válida esa hipótesis al utilizar términos como *sodomita* o *prostituto* para referirse al *qadesh*.

Los autores bíblicos dejan bien patente su aversión hacia los ritos extranjeros y, muy en especial, hacia los consagrados del templo. "Que no haya prostituta de entre las hijas de Israel, ni prostituto de entre los hijos de Israel", clama el legislador deuteronómico. Y añade: "No lleves a la casa de Yavé ni la merced de una ramera ni el precio de un perro para cumplir un voto, que lo uno y lo otro es abominación para Yavé".

Los libros de Reyes valoran a los monarcas de Israel y Judá en función de que hayan combatido o tolerado esos ritos. El primer monarca de Judá, Roboam, "hizo mal a los ojos de Yavé", porque bajo su reino "edificáronse altos, con cipos y *aserás* [estatuillas de la diosa Aserá]" y "hasta consagrados a la prostitución idolátrica hubo en la tierra". Asa, nieto de Roboam, hizo en cambio *lo recto* a los ojos de Yavé, porque "arrancó de la tierra a los consagrados a la prostitución idolátrica e hizo desaparecer los ídolos que sus padres se habían hecho". Incluso despojó a su propia madre del título de reina porque "se había hecho una *aserá* abominable". El hijo de Asa, Josafat, culminó la tarea de su padre y "barrió también de la tierra el resto de los consagrados a la prostitución idolátrica". El gran rey Josías, a quien el narrador considera el único monarca que jamás se apartó de la senda de Dios, llevó a extremos de celo la lucha contra el paganismo y "derribó los lugares de prostitución idolátrica del templo de Yavé, donde las mujeres tejían tiendas para Aserá". Esta última frase tiene una importancia enorme para los analistas, porque contiene la única referencia concreta a la actividad de una consagrada del templo.

Algunas corrientes modernas de investigación sostienen que ni la Biblia ni los testimonios existentes de culturas vecinas contienen la menor prueba sobre prácticas de prostitución sagrada. Las tabletas de arcilla halladas en Ugarit (actual Siria), que se remontan hasta el año 1300 a. C., informan de que los cultos cananeos anteriores a la llegada de los israelitas incluían personajes consagrados a los que también se denominaba *qadesh* o *qdeshá*, pero cuya función exacta no se precisa. Podía ser lisa y llanamente ayudantes en los oficios religiosos, como lo podría ser un monaguillo en la iglesia. La única ceremonia en la que se ha constatado un componente sexual explícito es la que se celebraba en Babilonia en el año nuevo para atraer la fertilidad al país. El rey contraía matrimonio simbólico con la diosa lunar Ishtar, representada por la sacerdotisa principal del templo. Antes de la consumación de la unión, la hieródula pronunciaba ante el monarca unas palabras cargadas de erotismo: "Esposo, amado de mi corazón, león, amado de mi corazón. Es grande tu hermosura, dulce como panal. Me has cautivado; deja que me acerque temblorosa a ti; deseo penetrar contigo en la cámara nupcial. Esposo, déjame acariciarte; mi caricia de amor es más suave que la miel. En la cámara llena de miel, león, déjame que te acaricie. Deja que gocemos de tu resplandeciente hermosura. Dile a mi madre que has gozado conmigo y te dará golosinas; mi padre te colmará de presentes [...]. Mi señor dios, mi Shu-Sin, acaríciame. Mi cuerpo es dulce como la miel, pon tu mano en él; pon tu mano en él cual capa, cierra en copa tu mano sobre él". Sin embargo, de este ritual tampoco puede inferirse la existencia de prostitución sagrada. A lo sumo incluye un acto sexual muy concreto entre el rey y la sacerdotisa; y ni siquiera esto está probado documentalmente, ya que podría tratarse de una especie de representación teatral y no de un coito verdadero. Hay quienes sostienen que la prostitución sagrada no es más que un mito inducido por la retórica de los narradores bíblicos, que para enlodar a las religiones de las naciones vecinas equiparaban los cultos idolátricos con el adulterio, la lascivia y la prostitución.

Capítulo XV
Homosexualidad

✖

"Su sangre caerá sobre ellos"

La homosexualidad del varón se considera en la Biblia una abominación y es severamente castigada. "Si uno se acuesta con otro como se hace con mujer, ambos hacen cosa abominable y serán castigados con la muerte; caiga sobre ellos su sangre", establece el código legal del Levítico. En el Antiguo Testamento, salvo muy contadas excepciones, las leyes van dirigidas al varón, y en ese sentido se explica que no haya una prohibición expresa de la homosexualidad femenina. La única referencia al lesbianismo en toda la Biblia aparece en el Nuevo Testamento, en la Epístola de Pablo a los Romanos: "Por lo cual los entregó Dios a las pasiones vergonzosas, pues las mujeres mudaron el uso natural en uso contra naturaleza; e igualmente los varones, dejando el uso natural de la mujer, se abrasaron en la concupiscencia de unos por otros, los varones de los varones". También al apóstol Pablo se debe la única mención del *afeminado.* "¿No sabéis que los injustos no poseerán el reino de Dios? No os engañéis: ni los fornicarios, ni los idólatras, ni los adúlteros, ni los afeminados, ni los sodomitas, ni los ladrones, ni los avaros, ni los ebrios, ni los maldicientes, ni los rapaces poseerán el reino de Dios", advierte en su primera Epístola a los Corintios.

Algunas asociaciones gays de Estados Unidos, empeñadas en conciliar su opción sexual con la fe religiosa, sostienen que el Antiguo Testamento no prohíbe la homosexualidad. Argumentan que la ley levítica hay que interpretarla en el sentido de que, en la relación entre dos varones, ninguno debe ser forzado a asumir el rol de mujer. Desafortunadamente, no parece ser esa la intención que tenía el legislador bíblico al establecer su prohibición.

Los dos únicos episodios explícitos de homosexualidad en la Biblia aparecen en un contexto de perversión, lascivia y maldad. Se trata del célebre episodio de Sodoma y Gomorra y la menos conocida historia del levita y su concubina, a la que se ha hecho mención en capítulos anteriores.

Sodoma y Gomorra

Después de establecerse en Canaán, Abraham y su sobrino Lot decidieron separarse debido a que empezaban a surgir disputas entre sus pastores. Lot se afincó en Sodoma, que con Gomorra formaba parte de una pentápolis (grupo de cinco ciudades) a orillas del mar Muerto. Abraham, a su vez, se estableció en Hebrón.

Un día se apareció Dios a Abraham, y le dijo: "El clamor de Sodoma y Gomorra ha crecido mucho, y su pecado se ha agravado en extremo; voy a bajar, a ver si sus obras han llegado a ser como el clamor que ha venido hasta mí, y si no, lo sabré". Abraham intentó evitar que la furia divina cayera sobre las dos ciudades. En un intenso regateo arrancó a Dios el compromiso de no destruirlas si encontraba en ellas al menos diez hombres justos.

Dos ángeles de Dios llegaron a Sodoma para examinar la situación. Lot, el sobrino de Abraham, estaba sentado a la puerta de la ciudad cuando llegaron los dos ángeles de apariencia humana. Tomándolos por simples forasteros, los convenció de que pernoctaran en su casa. Después de cenar, cuando se disponían a acostarse, los hombres de la ciudad —"mozos y viejos, todos sin excepción"— rodearon la casa de Lot y le gritaron: "¿Dónde están los hombres que han venido a tu casa esta noche? Sácanoslos para que los conozcamos". Ese *conozcamos* hay que entenderlo en su sentido sexual.

Lot salió al umbral, cerró la puerta a sus espaldas y dijo a la muchedumbre: "Por favor, hermanos míos, no hagáis semejante maldad. Mirad, dos hijas tengo que no han conocido varón; os las sacaré para que hagáis con ellas como bien os parezca; pero a estos hombres no les hagáis nada, pues para eso se han acogido a la sombra de mi techo". Las palabras de Lot evidencian que el derecho de la mujer a su dignidad e integridad carecía de cualquier valor frente al deber de protección al huésped.

Los habitantes de Sodoma no cedieron, y empezaron a forcejear con Lot para entrar en la casa. Cuando ya estaban a punto de romper la puerta, los ángeles tiraron de Lot hacia adentro y, utilizando sus poderes sobrenaturales, dejaron deslumbrada a la turba, que se vio incapaz de encontrar la entrada de la casa. Mientras la multitud estaba cegada, los ángeles exhortaron a Lot a que huyera con su familia, porque Dios iba a destruir la ciudad. Lot y los suyos abandonaron a toda prisa Sodoma. Cuando se aproximaban a la vecina ciudad de Soar para encontrar allí refugio, "hizo Yavé llover sobre Sodoma y Gomorra azufre y fuego de Yavé, desde el cielo. Destruyó estas ciudades y toda la hoya, y cuantos hombres había en ellas y hasta las plantas de la tierra". Mientras caía el feroz castigo, la mujer de Lot miró hacia atrás, desatendiendo una advertencia de los ángeles, y se convirtió en estatua de sal.

El relato de Sodoma y Gomorra ha contribuido durante siglos a alimentar una imagen depravada y brutal de los homosexuales. En la actualidad se sigue llamando "sodomitas" a quienes practican la homosexualidad o cualquier forma de sexo distinto al del hombre con la mujer. El diccionario de la Real Academia Española define del siguiente modo el término *sodomía*: "De Sodoma, antigua ciudad de Palestina donde se practicaba todo género de vicios deshonestos. / Concúbito entre varones o contra el orden natural". Para las tradiciones judía y cristiana, el apetito homosexual de los habitantes de Sodoma constituía un síntoma de su degeneración, y quizá así lo tuviera en mente el propio autor del relato.

Sin embargo, leída con atención, lo que narra la historia es un intento de humillación, mediante la penetración anal, a un forastero por parte de todos los varones de un pueblo. La Biblia no dice que estos fueran gays; más bien los describe como una turbamulta de salvajes, ansiosa por vilipendiar a un extranjero. La historia, por tanto, refleja más el caso de un intento de violación masiva de tipo homosexual, que el de una relación homosexual natural y civilizada.

Es más: en ningún momento afirma la Biblia que el pecado de Sodoma y Gomorra haya sido la homosexualidad. La destrucción de las dos ciudades se atribuye más bien a otras causas. El libro de Deuteronomio dice que, cuando las generaciones futuras vean ciudades devastadas por Dios como lo fueron Sodoma y Gomorra, y pregunten: "¿Cómo es que ha dejado así Yavé esta tierra?", se les contestará: "Es por haber roto el pacto de Yavé, el dios de sus padres, que con ellos hizo cuando los sacó de Egipto. Se fueron a servir a dioses extraños y los sirvieron, dioses que no conocían y que no eran sus dioses, y se encendió el furor de Yavé contra esta tierra".

El profeta Isaías también se refiere a la destrucción de Sodoma y Gomorra. Hablando como intermediario de Dios, dice a ambas ciudades: "Lavaos, limpiaos, quitad de ante mis ojos la iniquidad de otras acciones. Dejad de hacer el mal, aprended a hacer el bien, buscado lo justo, restituid al agraviado, haced justicia al huérfano, acaparad a la viuda". En ningún momento los reprende por actitudes homosexuales.

En su diatriba contra Judá, el profeta Ezequiel ofrece su propia versión del pecado de Sodoma: "Mira cuál fue la iniquidad de Sodoma, tu hermana: tuvo gran soberbia, hartura de pan y gran ociosidad ella y sus hijas. No dio la mano al pobre, al desvalido; se ensoberbecieron e hicieron lo que a mis ojos es abominable". Tampoco se menciona la homosexualidad.

"Queremos conocerlo"

La historia del levita y la concubina, que figura en el libro de Jueces, es muy similar a la de Sodoma y Gomorra. A un levita que iba con su concubina y su siervo de regreso a su hogar, en territorio de la tribu de Efraím, le sorprendió la noche y decidió pernoctar en Gueba, ciudad perteneciente a la tribu de Benjamín. Cuando llegaron a la plaza, un anciano los invitó a hospedarse en su casa. Mientras se encontraban cenando y bebiendo, los hombres de la ciudad cercaron la vivienda y gritaron al dueño: "Sácanos al hombre que ha entrado en tu casa para que lo conozcamos". El anciano salió y dijo a la multitud: "No, hermanos míos; no hagáis tal maldad, os lo pido; pues que este hombre ha entrado en mi casa, no cometáis semejante crimen. Aquí están mi hija, que es virgen, y la concubina de él; yo os las sacaré fuera para que abuséis de ellas y hagáis con ellas como bien os parezca; pero a este hombre no le hagáis semejante infamia". Una vez más queda patente, en toda su crudeza, el menosprecio a la dignidad e integridad de la mujer, sobre todo cuando se trataba de proteger las del varón.

Como la turba no aceptaba la propuesta de su anfitrión, el levita tomó a su concubina y la echó fuera. Los habitantes de Gueba "la conocieron y estuvieron abusando de ella toda la noche, hasta la madrugada, dejándola al romper la aurora". "Al venir la mañana —continúa el relato— cayó la mujer a la entrada de la casa donde estaba su señor, y allí quedó hasta que fue de día". A la mañana siguiente, el levita abrió la puerta y la encontró "tendida en la entrada con las manos sobre el umbral". Le dijo que se levantara, pero no obtuvo respuesta. La concubina estaba muerta.

En este relato, los habitantes de Gueba pretendían violar a un varón, pero terminan forzando a una mujer, lo que demuestra que la homosexualidad no constituye el elemento central de denuncia del relato. La tribu de Benjamín, a la que pertenecía la ciudad de los violadores, fue arrasada por la alianza de Israel en venganza por el crimen de la concubina, como ya se contó.

David y Jonatán: ¿más que amigos?

En una tempestuosa sesión del Parlamento israelí en 1993, la entonces diputada Yael Dayán, hija del mítico militar Moshé Dayán, abogaba por reconocer los derechos de los homosexuales. Durante su intervención, invocó el Antiguo Testamento para afirmar que el rey David había mantenido una relación amorosa con Jonatán. El escándalo no se hizo esperar. La diputada se había atrevido a proclamar, ni más ni menos, que la figura más importante del judaísmo junto al legislador Moisés y el patriarca Abraham había tenido, al menos en cierto momento de su vida, inclinaciones homosexuales.

La historia que dio lugar a la polémica figura en el libro primero de Samuel. Mucho antes de reinar sobre Israel, cuando era apenas un jovencísimo pastor de la tribu de Judá, David mató con una piedra de su honda a Goliat, el gigante filisteo que tenía amedrentado al ejército israelita. Admirado por la hazaña del muchacho, el rey Saúl lo hizo traer a su presencia para conocerlo. De ese modo lo conoció también Jonatán, hijo del monarca, tras lo cual "el alma de Jonatán se apegó a la de David y le amó Jonatán como a sí mismo". Saúl retuvo en su corte al joven héroe. Entonces, prosigue el relato, "Jonatán hizo pacto con David, pues le amaba como a su alma, y quitándose el manto que llevaba, se lo puso a David, así como sus arreos militares, su espada, su arco y su cinturón".

A partir de ese momento se desarrolló una intensa relación entre los dos muchachos, que no se vio interrumpida por el matrimonio de David con Micol, hija del rey. La solidez de la relación se puso a prueba cuando Saúl, celoso de la creciente popularidad de David, decidió deshacerse de él. Enterado de los siniestros planes de su padre, Jonatán salvó una y otra vez el pellejo de su amigo, ya fuera intercediendo ante el rey para que aplacara su rencor o ayudando a David a escapar de celadas.

Un día, mientras huía de las iras del rey, David llamó a Jonatán y urdieron un plan para saber de una vez por todas qué sentimiento albergaba el mudable monarca hacia su yerno. El plan era muy simple: al día siguiente era el novilunio, fiesta religiosa que señalaba el comienzo de cada mes. David, que de acuerdo con el protocolo debía sentarse a la mesa junto al rey, no acudiría a la ceremonia. En caso de que el monarca echara en falta su presencia, Jonatán le explicaría que había dado permiso a David para ir a Belén con su familia a ofrecer un sacrificio. Si el rey aceptaba de buena gana la explicación, significaba que su rencor había amainado. Si, por el contrario, se enfurecía, era señal de que la vida de David aún corría peligro. Jonatán comunicaría cualquier novedad a David en un sitio convenido por ambos.

El primer día del novilunio, Saúl no dijo nada sobre la ausencia de David. Al segundo día preguntó por él, y Jonatán le explicó que le había dado permiso para ir donde su familia a Belén. El rey montó en cólera y gritó a su hijo: "¡Hijo perverso y contumaz! ¿No sé yo que tú prefieres al hijo de Isaí [o sea, David] para vergüenza tuya y vergüenza de la desnudez de tu madre? Pues mientras el hijo de Isaí viva sobre la tierra, no habrá seguridad ni para ti ni para tu reino. Manda, pues, a prenderle y tráemelo, porque hijo es de muerte".

"¿Por qué ha de morir? ¿Qué ha hecho?", dijo Jonatán a su padre. Saúl, presa de la ira, blandió su lanza contra su hijo para herirlo, y Jonatán ya no tuvo ninguna duda de que su padre estaba decidido a acabar con la vida de David. A la mañana siguiente fue al campo, al lugar convenido con su amigo, y le contó todo lo que había sucedido. David huyó entonces definitivamente, tras una despedida muy emotiva: "Ambos se abrazaron y lloraron, derramando David muchas lágrimas. Jonatán dijo a David: "Vete en paz; que ya uno a otro nos hemos jurado en nombre de Yavé, Él estará entre tú y yo y entre mi descendencia y la tuya para siempre".

Más adelante, el rey Saúl y Jonatán perecieron en la batalla de Gélboe contra los filisteos. Aunque estaba enemistado con el monarca, David les compuso a ambos una dolida elegía. En ella dedica a Jonatán unas palabras cargadas de pasión. Dada la belleza del poema, vale la pena transcribirlo en su totalidad:

> Tu gloria, Israel, ha perecido en tus montes;
> ¿cómo cayeron los héroes?
> No lo propaléis en Gat;
> no lo publiquéis por las calles de Ascalón;
> que no se regocijen las hijas de los filisteos
> y no salten de júbilo las hijas de los incircuncisos.

¡Montes de Gélboe!
No caiga sobre vosotros ni rocío ni lluvia,
ni seáis campos de primicias,
porque allí fue abatido el escudo de los héroes,
el escudo de Saúl, como si no fuera ungido con el óleo,
sino con la sangre de los muertos, la grasa de los valientes.
El arco de Jonatán jamás retrocedía,
la espada de Saúl nunca volvía de vacío.
Saúl y Jonatán, amados y queridos,
inseparables en vida,
más ágiles que las águilas,
más fuertes que los leones.
Hijas de Israel, llorad por Saúl,
que os vestía deliciosamente de escarlata,
y colgaba adornos de oro sobre vuestros vestidos.
¿Cómo han caído los héroes en medio de la batalla?
¿Cómo fue traspasado Jonatán en las alturas?
Angustiado estoy por ti, ¡oh Jonatán, hermano mío!
Me eras carísimo.
Y tu amor era para mí dulcísimo,
más que el amor de las mujeres.
¿Cómo han caído los héroes?
¿Cómo han perecido las armas del combate?

Quienes consideran que entre David y Jonatán hubo una relación homosexual esgrimen como pruebas centrales los últimos versos de esta elegía —"tu amor era para mí dulcísimo, más que el amor de las mujeres"— y las palabras del rey Saúl a su hijo en la fiesta del novilunio, cuando le reprocha que prefiera a David "para vergüenza tuya y vergüenza de la desnudez de tu madre". Es como si Saúl hubiera descubierto o intuyera algo para él terrible en la relación de su hijo con David, ya que esas formulaciones verbales solían aplicarse en el contexto de prohibiciones sexuales.

Ahora bien, ¿es posible que la Biblia, donde se condena tan severamente la homosexualidad, sugiera que el más grande de los reyes de Israel incurrió en tal *abominación*? ¿Acaso el redactor final del Antiguo Testamento o las autoridades rabínicas posteriores no habrían podido suprimir los episodios más intensos si hubiesen siquiera sospechado que se prestaban a algún malentendido? En realidad, la cosa no es tan simple. Ya se ha visto que la Biblia no es un libro unitario, sino un conjunto de libros escritos por diferentes autores que representaban los más variados intereses políticoreligiosos. El autor de los libros de Samuel y Reyes, donde se cuenta la historia de David, sentía estimación hacia este rey, pero no le hubiera importado que saliera salpicado en uno que otro episodio, ya que, desde su punto de vista, sólo existió un rey perfecto, Josías, que reinó cuatro siglos después de David. Este narrador, conocido como fuente *D*, no tuvo ningún reparo en contar con pelos y señales cómo David adulteró con Betsabé y cómo mandó después matar a su marido para quedarse con ella. ¿Se puede decir algo peor sobre un ser humano? Junto a esto, ¿qué más da añadirle a su biografía un episodio pasajero de homosexualidad?

Las tradiciones judía y cristiana consideran la relación de David y Jonatán como paradigma de la más bella y profunda amistad que pueda unir a dos personas. Los seguidores de esta interpretación alegan que en la Biblia no aparece ninguna unión carnal entre David y Jonatán. Sostienen además que, de haber existido una relación homosexual entre ambos, el narrador se hubiera encargado de aplicar un castigo ejemplarizante al delito, como en el caso del adulterio de David con Betsabé, en el que el profeta Natán vaticina al monarca un futuro de desgracias. Hay quienes alegan, además, que mal podía David ser homosexual cuando era muy aficionado a las mujeres: además de Betsabé, tuvo siete esposas y una docena de concubinas. Este es, quizá, el argumento más débil, ya que una persona puede ser bisexual o al menos haberlo sido en algún momento determinado de su vida.

En fin, la discusión sigue abierta. Lo único que puede decirse con certeza es que David y Jonatán cultivaron una amistad tan íntima y sugerente que, casi tres mil años después, sirvió de argumento a una diputada israelí para defender en el Parlamento los derechos de los homosexuales.

Capítulo XVI
El más grande poema erótico

"Decíamos ayer..."

¿Qué hace un poema así en un libro como la Biblia? Es la pregunta que se hacen muchas personas después de leer el Cantar de los Cantares, una obra cargada del más vibrante erotismo en la que sólo se menciona una vez, muy de pasada y como un simple recurso literario, a Yavé. El poema, emparentado con los himnos talámicos que se solían componer en Oriente Medio con ocasión de bodas importantes, describe a una pareja de desposados entregada a unos deliciosos escarceos de amor.

La razón por la cual se incluyó el Cantar de los Cantares en el canon bíblico sigue dividiendo a los estudiosos. Unos sostienen que se tuvo exclusivamente en cuenta su sentido literal. De acuerdo con esta teoría, los sacerdotes y escribas habrían seleccionado esta hermosa pieza poética, que quizá gozaba de gran popularidad entre el pueblo, para proclamar el valor del amor dentro del matrimonio en su manifestación más terrenal. Al presentar el amor con naturalidad y de una manera totalmente desmitologizada, lanzaban un ataque implícito contra poderosas religiones rivales que concebían la vida amorosa y sexual a imagen de las relaciones entre divinidades de la fecundidad.

Otros sostienen que el Cantar de los Cantares consiguió su sitio entre los libros sagrados porque los que decidieron el canon vieron en él algo más que una exaltación del amor glandular. En esta corriente de opinión encaja la tradición rabínica, según la cual la obra tiene, además de su sentido literal, uno simbólico, que describiría la boda mística entre Dios y el pueblo judío, representados respectivamente en el poema por el novio y la novia. Esta interpretación fue adaptada al cristianismo por Hipólito y Orígenes en el siglo III, de modo que el Cantar de los Cantares se convirtió en la boda entre Jesús y su Iglesia. Finalmente, los protestantes lo ajustaron a sus propias exigencias, interpretándolo como la unión entre Dios y el alma del ser humano.

El recurso alegórico de presentar a Dios y sus fieles como un matrimonio no es extraño a la Biblia: algunos libros proféticos muestran a Dios como esposo de Israel, y a este pueblo como una mujer adúltera que recibe reproches y castigos por irse tras otros dioses-amantes. Sin embargo, lo que llama la atención del Cantar de los Cantares es que, a diferencia de los discursos proféticos, la alegoría no resulta tan evidente. Si un lector desprevenido leyese el Cantar de los Cantares sin saber que se trata de un texto bíblico, quedaría maravillado (o escandalizado, según el talante de cada cual) por su alto contenido erótico. Vería tan sólo a una pareja de recién casados entregada a un intenso juego sensual. En su *Diccionario filosófico,* Voltaire se burla de quienes interpretan el poema como una boda mística entre Jesús y la Iglesia: "Confesemos que la alegoría es demasiado fuerte, y que no se comprende qué podrá entender la Iglesia cuando el autor dice que su hermanita no tiene tetas y que si es un muro hay que construir encima de ella".

Cualquiera que hubiese sido el motivo de su popularidad y su inclusión en el canon bíblico, lo único cierto es que el Cantar de los Cantares siempre ha estado rodeado de un halo de misterio y ha atraído durante siglos la atención tanto de piadosos como de legos. En ocasiones, esa fascinación ha llegado a provocar auténticos dramas humanos. El poeta místico español del siglo XVI fray Luis de León pasó cinco años en prisión por traducir el poema al castellano y comentarlo en su sentido literal para uso exclusivo de un amigo que no era capaz de leerlo en latín, única lengua en que estaba permitido por las autoridades. En el prólogo del manuscrito, a modo de justificación, el fraile agustino señalaba que el "sentido espiritual" del poema ya había sido abundantemente tratado por "personas santísimas y muy doctas", de modo que él sólo trabajaría en "declarar la corteza de la letra ansí llanamente, como si en este libro no hubiera otro mayor secreto del que muestran aquellas palabras desnudas, y al parecer dichas y respondidas entre Salomón y su esposa". En circunstancias nunca aclaradas, algunas copias del manuscrito empezaron a circular clandestinamente en España, y el Santo Oficio obró en consecuencia contra el autor de la traducción. Cuando se reincorporó a su cátedra en la Universidad de Salamanca después de cumplir su condena, fray Luis de León empezó la clase con la célebre frase: "Decíamos ayer…".

¿Cuántas piezas tiene el *puzzle*?

En los textos hebreos más antiguos que se conservan de la Biblia, las frases o versículos se separaban entre sí mediante dos puntos y formaban párrafos de distintas extensiones. Estos a su vez se separaban unos de otros con un espacio en blanco o una letra a modo divisorio. La organización por capítulos como la conocemos hoy fue mucho más tardía. La concibió Stephen Langton, arzobispo de Canterbury, en el siglo XIII. La extensión de los capítulos no coincidía la mayoría de las veces con la de los párrafos antiguos, pero el sistema acabó siendo adoptado tanto por cristianos como por numerosas versiones bíblicas en hebreo.

Las versiones más viejas del Cantar de los Cantares presentan la obra en forma de prosa, con sus versículos y párrafos, y no como nos la muestran hoy en un formato convencional de poesía. De su lectura resulta fácil deducir que hablan varios personajes: el novio, la novia, un coro de mujeres (las integrantes del cortejo de la novia) y, tal vez, el propio poeta. Sin embargo, debido a que el texto original no especifica quién toma la palabra ni cuándo deja de hablar un personaje para que empiece otro, existen aún discrepancias a la hora de atribuir ciertos parlamentos. También sigue en discusión la estructura de la obra: la mayoría de los expertos entienden que no se trata de un texto unitario, sino de una suma de piezas poéticas, sobre cuyo número existen numerosas hipótesis. Ofrecemos una de las más extendidas, que recoge la New Internacional Version. Son cinco cantos o escenas, rematados por un clímax y unos fragmentos a modo de conclusión, que habría que leer de la siguiente manera:

Cantar de los cantares

1

1 Cantar de los Cantares, de Salomón.

Primera escena

2 [La novia] ¡Béseme con besos de su boca!

3 Son tus amores más deliciosos que el vino, son tus ungüentos agradables al olfato, es tu nombre un perfume que se difunde; por eso te aman las doncellas.

4 Arrástrame tras de ti, corramos. Introdúceme, rey, en tus cámaras. [Coro] Nos gozaremos y regocijaremos contigo, y celebraremos tus amores más que el vino. ¡Con razón eres amado!

5 [La novia] Soy morena, pero hermosa, hijas de Jerusalén, como las tiendas de Cedar, como los pabellones de Salomón.
6 No miréis que soy morena: es que me ha quemado el sol. Los hijos de mi madre, airados contra mí, me pusieron a guardar viñas; no era mi viña la que guardaba.
7 Dime tú, amado de mi alma, dónde pastoreas, dónde sesteas al mediodía, no venga yo a extraviarme tras de los rebaños de tus compañeros.
8 [El novio] Si no lo sabes, ¡oh la más hermosa de las mujeres!, sigue las huellas del rebaño, y apacienta tus cabritos en las majadas de los pastores.
9 Al tiro de los carros del faraón te comparo, amada mía.
10 ¡Cuán hermosas están tus mejillas entre las guedejas, tu cuello con collares!
11 Te haremos pendientes de oro, con sartas de plata.
12 [La novia] Mientras reposa el rey en su lecho, exhala mi nardo su aroma.
13 Es mi amado para mí bolsita de mirra, que descansa entre mis pechos.
14 Es mi amado para mí racimito de alheña de las viñas de Engadi.
15 [El novio] ¡Qué hermosa eres, amada mía! ¡Qué hermosa eres! Tus ojos son palomas.
16 [La novia] ¡Qué hermoso eres, amado mío! ¡Qué agraciado! ¡Nuestro pabellón verdeguea ya!
17 [El novio] Las vigas de nuestra casa son de cedro; nuestros artesonados, de ciprés.

2

1 [La novia] Yo soy el narciso de Sarón, un lirio de los valles.

2 [El novio] Como lirio entre los cardos es mi amada entre las doncellas.

3 [La novia] Como manzana entre los árboles silvestres es mi amado entre los mancebos. A su sombra anhelo sentarme, y su fruto es dulce a mi paladar.

4 Me ha introducido en la sala del festín, y la bandera que contra mí alzó es amor.

5 Confortadme con pasas, reanimadme con manzanas, que desfallezco de amor.

6 Está su izquierda bajo mi cabeza y su diestra me abraza.

7 Os conjuro, hijas de Jerusalén, por las gacelas y ciervos del campo, que no despertéis ni inquietéis al amor hasta que éste quiera.

Segunda escena

8 [La novia] ¡La voz de mi amado! Vedle que llega saltando por los montes, triscando por los collados.

9 Es mi amado como la gacela o el cervatillo. Vedle que está ya detrás de nuestros muros, atisbando por las ventanas, espiando por entre las celosías.

10 Mi amado ha tomado la palabra y dice: "¡Levántate ya, amada mía, hermosa mía, y ven!

11 Que ya se ha pasado el invierno y han cesado las lluvias.

12 Ya se muestran en la tierra los brotes floridos, ya ha llegado el tiempo de la poda y se deja oír en nuestra tierra el arrullo de la tórtola.

13 Ya ha echado la higuera sus brotes, ya las viñas en flor esparcen su aroma. ¡Levántate, amada mía, hermosa mía, y ven!".

14 [El novio] Paloma mía, (que anidas) en las hendiduras de las rocas, en las grietas de las peñas escarpadas, dame a ver tu rostro, hazme oír tu voz. Que tu voz es dulce, y encantador tu rostro.

15 ¡Cazadnos las raposas, las raposillas que destrozan las viñas, nuestras viñas en flor!

16 [La novia] Mi amado es para mí y yo para él. Pastorea entre azucenas.

17 Antes de que refrescase el día y huyan las sombras, vuelve, amado mío, semejante a la gacela o al cervatillo por los montes de Beter.

3

1 En mi lecho, por la noche, busqué al amado de mi alma, busquéle, y no lo hallé.

2 Me levanté y di vueltas por la ciudad, por las calles y las plazas, buscando al amado de mi alma. Busquéle y no le hallé.

3 Encontráronme los centinelas que hacen la ronda en la ciudad: ¿habéis visto al amado de mi alma?

4 En cuanto lo había traspasado, hallé el amado de mi alma. Le así para no soltarlo hasta introducirlo en la casa de mi madre, en la alcoba de la que me engendró.

5 Os conjuro, hijas de Jerusalén, por las gacelas y los ciervos, que no despertéis ni inquietéis al amor hasta que a éste le plazca.

Tercera escena

6 [Coro] ¿Qué es aquello que sube del desierto como columna de humo, como un vapor de mirra e incienso y de todos los perfumes exquisitos?
7 Ved: la litera de Salomón; sesenta valientes le dan escolta de entre los héroes de Israel.
8 Todos esgrimen la espada, todos son diestros para el combate. Todos llevan la espada ceñida, para hacer frente a los temores nocturnos.
9 Hízose el rey Salomón una cámara de maderas del Líbano.
10 Hizo de plata sus columnas, de oro su baldaquino, hizo su asiento de púrpura, recamado, (obra) dilecta de las hijas de Jerusalén.
11 Salid, hijas de Sión, a ver al rey Salomón, con la diadema de que le coronó su madre el día de sus desposorios, el día de la alegría de su corazón.

4

1 [El novio] ¡Qué hermosa eres, amada mía, qué hermosa eres! Son palomas tus ojos a través de tu velo. Son tus cabellos rebañitos de cabras, que ondulantes van por los montes de Galaad.
2 Son tus dientes cual rebaño de ovejas de esquila que suben del lavadero, todas con sus crías mellizas, sin que haya entre ellas estériles.
3 Cintillo de grana son tus labios, y tu hablar es agradable. Son tus mejillas mitades de granada a través de tu velo.
4 Es tu cuello cual la torre de David, adornada de trofeos, de la que penden mil escudos, todos escudos de valientes.

5 Tus dos pechos son dos mellizos de gacela, que triscan entre azucenas.
6 Antes de que refresque el día y huyan las sombras, iréme al monte de la mirra, al collado del incienso.
7 Eres del todo hermosa, amada mía; no hay tacha en ti.
8 Ven del Líbano, esposa, ven del Líbano, haz tu entrada. Avanza desde la cumbre del Amana, de las cimas del Sanir y del Hermón, de las guaridas de los leones, de las montañas de los leopardos.
9 Prendiste mi corazón, hermana, esposa: (prendiste) mi corazón en una de tus miradas, en una de las perlas de tu collar.
10 ¡Qué encantadores son tus amores, hermana mía, esposa! ¡Qué deliciosos son tus amores, más que el vino! Y el aroma de tus perfumes es mejor que el de todos los bálsamos.
11 Miel virgen destilan tus labios, esposa; miel y leche hay bajo tu lengua; y el perfume de tus vestidos, es como el aroma de incienso.
12 Eres jardín cercado, hermana mía, esposa; eres jardín cercado, fuente sellada.
13 Tu plantel es un vergel de granados, de frutales los más exquisitos, de cipreses y de nardos,
14 de nardos y de azafrán, de canela y cinamomo, de todos los árboles aromáticos, de mirra y de áloe, y de todos los más selectos balsámicos.
15 Eres fuente de jardín, pozo de aguas vivas, que fluyen del Líbano.
16 [La novia] Levántate, cierzo; ven, austro. Oread mi jardín, que exhale sus aromas. Venga a su huerto mi amado a comer de sus frutos exquisitos.

5

1 [El novio] Voy a mi jardín, hermana mía, esposa, a coger de mi mirra y de mi bálsamo, a comer de mi panal y mi miel, a beber de mi vino y de mi leche. Comed, colegas míos, y bebed, y embriagaos, amigos míos.

Cuarta escena

2 [La novia] Yo duermo, pero mi corazón vela. Es la voz del amado que llama. [El novio] ¡Ábreme, hermana mía, amada mía, paloma mía, inmaculada mía! Que está mi cabeza cubierta de rocío y mis cabellos de la escarcha de la noche.

3 [La novia] Ya me he quitado la túnica. ¿Cómo volver a vestirme? Ya me he lavado los pies. ¿Cómo volver a ensuciarlos?

4 Mi amado metió su mano por el agujero (de la llave) y mis entrañas se estremecieron por él.

5 Me levanté para abrir a mi amado. Mis manos destilaron mirra, y mis dedos mirra exquisita, en el pestillo de la cerradura.

6 Abrí a mi amado, pero mi amado, desvaneciéndose, había desaparecido. Mi alma salió por su palabra. Le busqué y no le hallé. Le llamé, mas no me respondió.

7 Encontráronme los centinelas que rondan la ciudad, me golpearon, me hirieron. Me quitaron mi velo los centinelas de las murallas.

8 Os conjuro, hijas de Jerusalén, que, si encontrarais a mi amado, le digáis que desfallezco de amor.

9 [El coro] ¿En qué se distingue tu amado, oh la más hermosa de las mujeres? ¿En qué se distingue tu amado, tú que así nos conjuras?

10 [La novia] Mi amado es fresco y colorado, se distingue entre millares.
11 Su cabeza es oro puro, sus rizos son racimos de dátiles, negros como el cuervo.
12 Sus ojos son palomas posadas al borde de las aguas, que se han bañado en leche y descansan a la orilla del arroyo.
13 Sus mejillas son jardín de balsameras, teso de plantas aromáticas; sus labios son dos lirios que destilan exquisita mirra.
14 Sus manos son anillos de oro guarnecidos de piedras de Tarsis. Su vientre es una masa de marfil cuajada de zafiros.
15 Sus piernas son columnas de alabastro asentadas sobre basas de oro puro. Su aspecto es como el Líbano, gallardo como el cedro.
16 Su garganta es todo suavidad, todo él un encanto. Ése es mi amado, ése es mi amigo, hijas de Jerusalén.

6

1 [El coro] ¿Adónde fue tu amado, oh tú, la más hermosa de las mujeres? ¿Qué dirección ha tomado tu amado, para ir contigo en busca de él?
2 [La novia] Bajó mi amado a su jardín, a los macizos de las balsameras, para apacentar en los vergeles y coger azucenas.
3 Yo soy para mi amado, y mi amado para mí, el que pastorea entre azucenas.

Quinta escena

4 [El novio] Eres, amada mía, hermosa como Tirsa, encantadora como Jerusalén, terrible como escuadrón ordenado en batalla.

5 Aparta ya de mí tus ojos, que me fascinan. Es tu cabellera rebañito de cabras que ondulan por las pendientes de Galaad.

6 Tus dientes, cual rebaño de ovejas de esquila, que suben del lavadero, todas con crías gemelas, sin que en ellas haya estéril.

7 Son mitades de granada tus mejillas a través de tu velo.

8 Sesenta son las reinas, ochenta las concubinas, y las doncellas son sin número.

9 Pero es única mi paloma, mi inmaculada; es la única hija de su madre, la predilecta de quien la engendró. Viéronla las doncellas y la aclamaron, y las reinas y concubinas la loaron.

10 ¿Quién es ésta que se levanta como la aurora, hermosa cual la luna, resplandeciente como el sol, terrible como escuadrones ordenados?

11 Bajé a la nozaleda para ver cómo verdea el valle, a ver si brota ya la viña y si florecen los granados.

12 Sin saber cómo, vime sentado en los carros de mi noble pueblo.

7

1 [Coro] ¡Torna, torna, Sulamita, torna, torna, que te contemplemos! [La novia] ¿Qué queréis contemplar en la Sulamita, danzando a doble coro?

2 [El novio] ¡Qué bellos son tus pies con las sandalias, hija de príncipe! El contorno de tus caderas es una joya, obra de manos de orfebre.

3 Tu ombligo es un ánfora en que no falta el vino; tu vientre, acervo de trigo, rodeado de azucenas.

4 Tus senos dos cervatillos, mellizos de gacela.

5 Tu cuello, torre de marfil; tus ojos, dos piscinas de Hesebón, junto a la puerta de Bat-Rabin. Tu nariz, como la torre del Líbano, que mira hacia Damasco.
6 Tu cabeza, como el Carmelo; la cabellera de tu cabeza es como púrpura real, entretejida en trenzas.
7 ¡Qué hermosa eres, qué encantadora, qué amada, hija deliciosa!
8 Esbelto es tu talle como la palmera, y son tus senos sus racimos.
9 Yo me dije: Voy a subir a la palmera, a tomar sus racimos; sean tus pechos racimos para mí. El perfume de tu aliento es como el de las manzanas.
10 Tu palabra es vino generoso a mi paladar, que se desliza suavemente entre labios y dientes.
11 [La novia] Yo soy para mi amado, y a mí tienden sus anhelos.
12 Ven, amado mío, y salgamos al campo, haremos noche en las aldeas;
13 madrugaremos para ir a las viñas; veremos si brota ya la vid, si se entreabren las flores, si florecen los granados, y allí te daré mis amores.
14 Ya dan su aroma las mandrágoras, y a nuestras puertas están los frutos exquisitos: los nuevos y los añejos, que guardo, amado mío, para ti.

8

1 ¡Quién me diese que fueses hermano mío, amamantado a los pechos de mi madre, para que al encontrarte en la calle pudiera besarte sin que me despreciaran!
2 Yo te llevaría y te introduciría en la casa de mi madre, en la alcoba de la que me engendró, y te daría a beber del vino adobado y del mosto de los granados.

3 Su izquierda descansa bajo mi cabeza, y su diestra me abraza.
4 Os conjuro, hijas de Jerusalén, que no despertéis ni inquietéis al amor hasta que a éste le plazca.

Clímax

5 [El coro] ¿Quién es ésta que sube del desierto apoyada sobre su amado? [La novia] Debajo del manzano te desperté, allí donde te concibió tu madre, donde te concibió la que te engendró.
6 Ponme cual sello sobre tu corazón, ponme en tu brazo como sello. Que es fuerte el amor como la muerte y son, como el "seol", duros los celos. Son sus dardos saetas encendidas, son llamas de Yavé.
7 No pueden aguas copiosas extinguirlo ni arrastrarlo los ríos. Si uno diera por el amor toda la hacienda de su casa, sería sobremanera despreciado.

Conclusión

8 Nuestra hermana es pequeñita, no tiene pechos todavía. ¿Qué haremos a nuestra hermana cuando un día se trate de ella?
9 Si ella es un muro, edificaremos sobre ella almenas de plata; si puerta, le haremos batientes de cedro.
10 Sí, muro soy, y torres son mis pechos. He venido a ser a los ojos de él como quien halla la paz.
11 Una viña tenía Salomón en Baal-Hamón; la entregó a los guardas, que habían de traerle por su fruto mil siclos de plata.
12 Mi viña la tengo ante mis ojos. Para ti, Salomón, los mil siclos, y doscientos para los que guardan su fruto.

13 ¡Oh tú, que habitas en jardines, los compañeros atienden a tu voz: hazme oírla!
14 Huye, amado mío, semejante a la gacela o al cervatillo, por los montes de las balsameras.

Los comentarios

El Cantar de los Cantares empieza con una frase que atribuye la obra a Salomón, el sabio y opulento monarca que reinó sobre Israel en el siglo x a. C. Esta autoría constituye a todas luces una ficción, cuya finalidad sería conferir a la obra una pátina de antigüedad y autoridad: de acuerdo con los análisis filológicos e históricos, el poema —o más bien el pastiche de piezas poéticas, como ya se ha explicado— fue escrito hacia el siglo iv a. C., tras el regreso del exilio babilónico. Ello no está reñido con la posibilidad de que hubiera recogido y adaptado algunos pasajes, estampas o figuras de composiciones poéticas mucho más antiguas, incluso de la propia época del rey Salomón. El hecho de que en la Biblia hebrea el poema aparezca en la sección de los Escritos, que reúne los últimos textos incorporados al canon, y no en la de los Profetas, donde figura la historia de Salomón, refuerza el argumento de que la obra data de una época posterior a la del monarca.

Tras la identificación del supuesto autor comienza la primera escena. La novia expresa con ardor su anhelo de que el esposo la lleve a la cámara nupcial. El coro celebra con gran regocijo los acontecimientos. La ansiosa novia busca a su amado, y el coro la orienta. Se produce finalmente el encuentro y se entabla un apasionado diálogo entre la pareja que culmina con la unión corporal, como lo señala la novia: “Está su izquierda bajo mi cabeza y su diestra me abraza”. La desposada expresa su felicidad pidiendo a sus amigas que no "inquieten el amor", en un estribillo que se repetirá al final de los poemas segundo y quinto.

Al comienzo del canto, la novia dice con algo de vergüenza que es morena, y aclara que el color de su piel se debe a que sus hermanos la obligaron a trabajar en las viñas. El recurso de presentar a la novia como una campesina quemada por el sol era típico entre los autores de himnos talámicos orientales, a quienes les gustaba describir a los recién casados con imágenes pastoriles. Durante los siglos en que asumieron que el Cantar de los Cantares era obra de Salomón, los exegetas bíblicos se basaron en el color de la piel de la novia para afirmar que el rey había dedicado el poema a la hija del faraón, una de sus setecientas esposas. Esta hipótesis se apoyaba también en otra frase del poema: "Al tiro de los carros del faraón/te comparo, amada mía". Que el novio compare a su amada con una yegua parecerá chocante a algunos, pero entre los orientales este tipo de símiles era frecuente. Incluso en nuestros días los beduinos del desierto toman como referencia la camella para describir la hermosura femenina.

La segunda escena —en su práctica totalidad un monólogo de la novia— cuenta cómo el novio acude a la casa de su amada y, en uno de los pasajes más hermosos de la obra, le dice a través de la ventana que lo siga para disfrutar de la primavera. Sigue una especie de juego del escondite: la novia sale de noche a buscar a su amado por la ciudad y, cuando da con él, lo conduce a su casa y se entregan al amor.

La tercera escena se abre con un pequeño discurso del coro o del poeta que evoca la boda del rey Salomón: parece tratarse de un recurso poético para anunciar con gran pompa la llegada del novio. Seguramente la figura de Salomón despertaba imágenes de magnificencia en la mente de los israelitas. Sigue un encuentro entre los amantes, durante el cual el novio se deshace en elogios a su pareja. Los católicos ven una alusión a la Inmaculada Concepción cuando el novio manifiesta: "Eres del todo hermosa, amada mía; no hay tacha en ti". Los judíos, a su vez, encuentran una referencia a Israel cuando dice: "Miel y leche hay bajo tu lengua", expresión que aparece en el libro de Éxodo cuando Dios promete liberar al pueblo israelita de Egipto y conducirlo a una tierra que "mana leche y miel". El encuentro desemboca en la unión carnal de la pareja (o la comunión de Dios con sus fieles, para el que quiera verlo así), expresada con la bella metáfora de la entrada del hombre en un huerto.

En la cuarta escena la pareja aparece de nuevo separada. El novio acude de noche a casa de su amada y le pide que lo deje entrar. Ella se muestra reacia, pues ya se ha quitado la túnica y lavado los pies. El novio no se da por vencido y mete los dedos por el ojo de la cerradura. La novia abre finalmente la puerta, pero su amado ya se ha marchado. Otra vez, como en el segundo poema, sale a buscarlo por la ciudad, pero en esta ocasión no sólo no lo encuentra, sino que los centinelas la golpean y le roban el chal. A continuación, la novia implora al coro que, si encuentra a su hombre, le haga saber que está enferma de amor por él. El coro le pide las señas del amor extraviado, y ella responde con una exaltación de la belleza de su amado, devolviéndole los elogios con que éste la ha colmado en el poema anterior. Culmina con una frase que ya le ha dedicado en el segundo encuentro: "Yo soy para mi amado, y mi amado para mí, el que pastorea entre azucenas".

La quinta escena muestra a la pareja en un nuevo encuentro, en el que la novia invita a su amado a ir al campo, donde le entregará sus amores. "Ya dan su aroma las mandrágoras", le informa, en referencia al fruto de propiedades afrodisíacas. En un pasaje cargado de intensidad poética, la muchacha dice a su novio que preferiría ser hermana suya para poder besarlo en la calle cuando le viniese en gana. El enigmático nombre Sulamita (*Shulamit*, en hebreo), que no aparece en ninguna otra parte de la Biblia, ha dado pie a todo tipo de conjeturas. Puede tratarse de una variante femenina de Salomón (*Shlomó*), si es que la intención del autor era hacer un juego de palabras para asociar a la novia con el famoso rey de Israel, cuya figura ya había evocado en el tercer poema como preludio de la llegada del novio.

Después de los cinco encuentros, en lo que parece ser el clímax de la obra, la novia equipara la fuerza del amor a la de la muerte y, en un admirable broche de oro, proclama su absoluta gratuidad: "Si uno diera por el amor toda la hacienda de su casa, sería sobremanera despreciado".

El Cantar concluye con unos versículos de difícil interpretación, que algunos expertos agrupan en tres piezas diferentes. La primera parece una conversación entre los hermanos de la novia acerca del futuro de la muchacha, a la que ven como una niña. Ella les replica con orgullo que es una mujer con pechos "como torres" y les notifica que ha encontrado novio. El segundo fragmento podría ser una alegoría del harén del monarca israelita. Una voz dice que Salomón cedió sus viñas a sus guardas para que las trabajaran, a cambio de que le entregasen una suma fija de mil siclos. Pero la fiel esposa dice estar a cargo de una viña más pródiga —ella misma—, capaz de generar no sólo los mil siclos que exige el rey, sino doscientos más para los que guarden su fruto. En el último fragmento la novia insta a su amado a que huya, utilizando figuras que han aparecido a lo largo del poema: la gacela, el cervatillo, el monte de las balsameras.

Los lugares

El autor del Cantar de los Cantares menciona en la obra algunas ciudades o parajes naturales, ya sea para enmarcar el idilio o para describir con referentes geográficos la belleza de los amantes:

Cedar (Quedar, en hebreo). Más que un lugar, se trata del nombre de una tribu del desierto. Según una genealogía que aparece en el libro de Génesis, Cedar es el segundo de los doce hijos de Ismael, antepasado mítico del pueblo árabe. Sus miembros vivían en tiendas que se destacaban por su color oscuro. En el libro de Isaías se les describe como bravos arqueros.

Engadí (Ein Guedi). Situado en la costa occidental del mar Muerto, este lugar, cuyo nombre significa *manantial del cabrito*, ofrece una imagen de desolación; pero la presencia de arroyos naturales hacen de él un oasis. Fue uno de los sitios donde se refugió David cuando era víctima de las persecuciones del rey Saúl.

Sarón (Sharón). Llanura costera del actual Estado de Israel que se extiende desde Yaffo hasta el monte Carmelo. En el libro que lleva su nombre, el profeta Isaías le dedica este elogio: "Sarón será majada de ovejas y el valle de Akor corral de vacas para mi pueblo, los que me buscaron".

Beter. El libro de Josué la cita entre las localidades asignadas a la tribu de Judá en el reparto de la tierra tras la conquista de Canaán. Todo parece indicar que se trata de la actual Betir, situada unos diez kilómetros al suroeste de Jerusalén, cerca de Belén.

Galaad (Guilead). Región situada al este del río Jordán, dentro del moderno Estado de Jordania. La palabra Galaad representaba algo excelso en la imaginación de los israelitas. "Galaad eras tú para mí", dice Dios a la casa real de Judá. Además de sus abundantes pastizales, Galaad producía plantas aromáticas y bálsamos muy apetecidos por los egipcios. "Y levantando los ojos divisaron una caravana de ismaelitas que venían de Galaad, con camellos cargados de almáciga, sandáraca y ládano, que iban bajando a Egipto", se lee en el libro de Génesis.

Amana, Sanir, Hermón. Montañas del Antilíbano que el autor del Cantar de los Cantares llama "guaridas de leones" y "montes de leopardos", tal vez porque dominaban el camino que seguían en ocasiones los invasores de Israel. En el poema, el novio intenta encumbrar a su amada y darle prestigio al decirle que otee desde las tres cimas. El monte Hermón, actualmente bajo dominio israelí, es un sitio estratégico que domina las fuentes del río Jordán, el valle libanés de Beqaa y la llanura de Damasco.

Tarsis (Tarshish). Muchos expertos la identifican con Tartesos, ciudad al suroeste de España, en la desembocadura del Guadalquivir, donde los fenicios habían fundado unos mil años antes de Cristo una colonia. De acuerdo con el libro primero de Reyes, Salomón tenía una flota de barcos dedicada exclusivamente a Tarsis, que cada tres años volvía "trayendo oro, plata, marfil, monos y pavos reales".

Tirsa (Tirtzá). Originalmente fue una ciudad cananea. Su príncipe aparece citado entre los vencidos por los hebreos al invadir éstos Canaán. Tras la división de Israel, fue durante medio siglo la capital del reino del norte, hasta que el rey Omrí creó en el año 875 a. C. su propia capital. En el Cantar de los Cantares el novio dice a su amada: "Hermosa eres, amiga mía, como Tirsa, encantadora como Jerusalén", quizá como un homenaje nostálgico a las dos capitales del reino dividido. Los arqueólogos la identifican con Tel el-Farah, situado unos diez kilómetros al norte de Nablus, en Cisjordania.

Hesebón (Heshbón). Ciudad de las estepas de Moab. Estuvo en manos de Israel; luego la capturaron los moabitas. Los profetas Isaías y Jeremías profetizaron su ruina. No se sabe a ciencia cierta qué efecto tuvieron esas admoniciones. Varios siglos después, el autor del Cantar de los Cantares compara los ojos de la novia con el agua de las piscinas de Hesebón, seguramente porque la ciudad tenía unas piscinas admirables. En la Jordania moderna es la humilde Jeshbán, situada unos veinte kilómetros al suroeste de la capital Ammán.

Bat-Rabin (Bat-Rabim). El poeta llama con ese nombre a una de las puertas de la ciudad de Hesebón.

Líbano (Lebanón). Territorio de unos ciento sesenta kilómetros de largo por cuarenta de ancho que se extiende al norte de Palestina, paralelo a la costa mediterránea. Desde tiempos muy remotos, sus cedros han tenido fama universal. La palabra Líbano debía de sugerir ricas imágenes poéticas: en el Cantar de los Cantares, el novio dice a su amada que venga del Líbano; que el olor de sus vestidos es como la fragancia del Líbano; que su belleza es como las "aguas vivas" que fluyen del Líbano; que su nariz es como la torre del Líbano. A su vez, la novia dice a su amado que su porte "es como el Líbano, esbelto cual cedros". Y el poeta señala que el rey Salomón tenía un palanquín de madera del Líbano.

Damasco (Damaseq). Antigua ciudad que ya aparece citada en textos del siglo XX a. C. Hacia el siglo X a. C. se convierte en la capital del importante reino de Aram, al que los redactores bíblicos llaman indistintamente Damasco. Aram fue sometida a tributo por el rey David, y recuperó su independencia plena tras la división del reino de Israel en 922 a. C. Su relación con los dos reinos israelitas surgidos de la división fue casi siempre tan conflictiva como la de los reinos israelitas entre sí. En el año 723 a. C., Aram fue aplastado por el ejército del imperio asirio, en la misma operación militar en que cayó arrasado el reino israelita del norte. Damasco es la capital del Estado moderno de Siria.

Carmelo (Carmel). Monte al norte de Israel desde cuya cima se domina la hermosa bahía de Haifa.

Baal-Hamón. Su única mención en la Biblia es la del Cantar de los Cantares. Nada se sabe sobre su emplazamiento.

Capítulo XVII
El lenguaje de los profetas

Jeremías

Entre los profetas bíblicos hay varios que se distinguen por utilizar un lenguaje cargado de referencias sexuales. Uno muy destacado es Jeremías, que empezó a profetizar en Judá en el año decimotercero del reinado de Josías, es decir, en 626 a. C. Tras un largo período de silencio, reanudó su actividad hacia el año 605 a. C., cuando el reino de Judá estaba siendo sometido a una fuerte presión por parte de los imperios egipcio y babilonio, que rivalizaban por la hegemonía en la región. Judá era todo cuanto quedaba del antiguo gran Israel. Éste se había dividido a la muerte del rey Salomón (922 a. C.) en dos reinos: el norteño —que se quedó con el nombre de Israel— y el sureño (Judá). El reino del norte, del que procedía la familia sacerdotal de Jeremías, había sido destruido en 722 a. C. por los asirios. Ahora le llegaba la hora a Judá, atrapada entre dos poderosos imperios y gobernada por reyezuelos ineptos. Jeremías era partidario de alinearse con los babilonios, pero no se le hizo caso. En 586 a. C., Jerusalén cayó aplastada por Nabucodonosor, emperador babilonio, y el pueblo de Judá fue conducido al exilio. Fue el desastre final. Poco antes de la hecatombe, una ola de refugiados partió hacia Egipto, arrastrando en su huida al profeta Jeremías, cuyo rastro se perdió en el país del Nilo.

La voz de Jeremías —y la de Ezequiel, como se verá más adelante— es desgarrada. Presagia el desastre de Judá, que seguirá los pasos de su *hermana* Israel. Ambos reinos han corrido su trágico destino por abandonar a Yavé y marcharse tras otros dioses. Israel y Judá son unas *adúlteras* y *prostitutas* sobre las que naciones extrañas vierten su semen. Así de duros se muestran los profetas. Sin embargo, sus discursos dejan una luz de esperanza para que Dios se reconcilie con sus dos *esposas* infieles.

"Y adulteró con la piedra y el leño"

"Y me dijo el Señor en tiempo del rey Josías: '¿Has visto lo que ha hecho Israel? Se fue por todo monte alto y bajo todo árbol frondoso para fornicar allí'. Yo dije: 'Después de haber hecho todas estas cosas, vuelve a mí'. Pero no se volvió. Vio esto su pérfida hermana Judá. Vio que por todo cuanto había adulterado la rebelde Israel habíala despedido y dado el libelo de repudio, pero no temió la pérfida Judá, su hermana, sino que fue y fornicó ella también. Y sucedió que, por la ligereza de su prostitución, contaminó la tierra, y adulteró con la piedra y con el leño; y tampoco con todo esto su pérfida hermana Judá se volvió a mí de corazón, sino mentidamente, oráculo de Yavé. Y me dijo Yavé: 'La apóstata Israel se ha justificado al lado de la pérfida Judá'".

Ezequiel

El profeta Ezequiel era unos veinte años menor que Jeremías. Probablemente fue discípulo suyo. Sus discursos contienen elementos de la inflamada retórica sexual de Jeremías, incluido el recurso de presentar la relación entre Dios e Israel y Judá como un matrimonio tempestuoso. Ezequiel estuvo entre los deportados a Babilonia en el primer asedio de Nabucodonosor a Jerusalén, en 597 a. C.

Cinco años más tarde empezó a profetizar en la comunidad del destierro. Lejos de allí, en la agonizante Judá, el anciano profeta Jeremías advertía desesperadamente al rey del inminente final si no cambiaba de política y se aliaba con los babilonios.

"Te hiciste simulacros de hombre"

"El día que naciste, nadie te cortó el ombligo; no fuiste lavada en el agua para limpiarte, no fuiste frotada con sal ni fajada.

"Nadie hubo que pusiera en ti sus ojos para hacerte algo de esto, compadecido de ti, sino que con horror fuiste tirada al campo el día que naciste. Pasé yo cerca de ti y te vi sucia en tu sangre, y, estando tú en tu sangre, te dije: '¡Vive!'.

"Te hice crecer a decenas de millares, como la hierba del campo. Creciste y te pusiste grande, y llegaste a la flor de la juventud; te crecieron los pechos y te salió el pelo, pero estabas desnuda y llena de vergüenza. Pasé yo junto a ti y te miré. Era tu tiempo el tiempo del amor, y tendí sobre ti mi manto, cubrí tu desnudez, me ligué a ti con juramento e hice alianza contigo, dice el Señor, Yavé, y fuiste mía. Te lavé con agua, te quité de encima la sangre, te ungí con óleo, te vestí de recamado, te calcé piel de tejón, te ceñí de lino fino y te cubrí de seda. Te atavié con joyas, puse pulseras en tus brazos, y collares en tu cuello, arillo en tus narices, zarcillos en tus orejas, y espléndida diadema en tu cabeza. Estabas adornada de oro y plata, vestida de lino y seda en recamado; comías flor de harina de trigo, miel y aceite; te hiciste cada vez más hermosa y llegaste hasta reinar.

"Extendióse entre la gente la fama de tu hermosura, porque era acabada la hermosura que yo puse en ti, dice el Señor, Yavé. Pero te envaneciste de tu hermosura y de tu nombradía, y te diste al vicio, ofreciendo tu desnudez a cuantos pasaban, entregándote a ellos. Tomaste tus vestidos y te hiciste altos coloreados para prostituirte en ellos. Tomaste las espléndidas joyas que te había dado, mi plata y mi oro, y te hiciste simulacros de hombre, fornicando con ellos. Tomaste las telas recamadas y los cubriste con ellas, y les ofreciste mi óleo y mis aromas. También el pan que yo te diera, la flor de harina de trigo y el aceite y la miel con que te mantenía, se los ofreciste en ofrenda de suave olor. Eso hiciste, dice el Señor, Yavé.

"Y, a más de esto, tomaste a tus hijos y a tus hijas, los que habías engendrado para mí, y se los sacrificaste para que les sirvieran de comida. Te parecían poco tus prostituciones, y sacrificaste a mis hijos, haciéndolos pasar por el fuego. Y al cometer todas estas tus fornicaciones y prostituciones, no te acordaste del tiempo de tu mocedad, cuando estabas desnuda en tu vergüenza y te revolvías en tu sangre; antes al contrario, después de tantas maldades, ¡ay de ti!, dice Yavé, te hiciste en cada plaza un lupanar y en cada calle un prostíbulo, mancillando tu hermosura, entregándote a cuantos pasaban y multiplicando tus prostituciones.

"Te prostituiste a los hijos de Egipto, tus vecinos de gordos cuerpos, multiplicando tus fornicaciones para irritarme. Por eso tendí yo a ti mi mano, y te quité parte de la dote, y te entregué al capricho de tus enemigas, las hijas de los filisteos, que te aborrecen y se avergüenzan de tu desenfreno. No harta todavía, te prostituiste también a los hijos de Asiria, fornicaste con ellos, sin hartarte todavía. Multiplicaste tus prostituciones desde la tierra de Canaán hasta Caldea, y ni con todo esto te saciaste. ¿Cómo sanar tu corazón, dice el Señor, Yavé, cuando has hecho todo esto, como desvergonzada ramera dueña de sí, haciéndote prostíbulos en todas las encrucijadas y lupanares en todas las plazas? Y ni siquiera eres comparable a las rameras, que reciben el precio de su prostitución. Tú eres la adúltera, que, en vez de su marido, acoge a los extraños. A la meretriz se le paga su merced, pero tú hacías las mercedes a tus amantes, y les hacías regalos para que de todas partes entrasen a ti para tus fornicaciones. Ha sucedido contigo en tus fornicaciones lo contrario de las otras rameras, pues no te buscaban, y, pagando tú en vez de recibir paga, fuiste al contrario de las otras".

Las hermanas Oholá y Oholibá

"Fueme dirigida la palabra de Yavé, diciendo: Había dos mujeres hijas de la misma madre. Se prostituyeron en Egipto al tiempo de la mocedad; allí fueron estrujados sus pechos y manoseado su seno virginal. Llamábanse Oholá, la mayor; su hermana, Oholibá. Fueron mías y parieron hijos e hijas. Oholá es Samaria; Oholibá, Jerusalén.

"Oholá me fue infiel y se enloqueció con sus amantes, sus vecinos, los asirios. Iban vestidos de púrpura, eran jefes y oficiales, todos jóvenes codiciables y que montaban caballos. Se prostituyó a ellos, la flor de los hijos de Asiria, y se contaminó con todos los ídolos de aquellos de quienes se enamoró. Tampoco dejó sus prostituciones con Egipto, porque eran los que se habían acostado con ellas en su mocedad y habían manoseado sus senos virginales y derramado sobre ella sus impurezas. Yo, por eso, la entregué en manos de sus amantes, en manos de los hijos de Asiria, de quienes estaba enamorada. Ellos descubrieron sus vergüenzas, le tomaron sus hijos y sus hijas, y a ella la hicieron perecer a la espada. Vino a ser famosa entre las mujeres por la justicia que en ella se hizo.

"Viendo esto Oholibá, su hermana, fue más estragada que ella en su pasión, y sus prostituciones sobrepasaron a las de su hermana. Encendiéndose en amor por los hijos de Asiria, jefes y oficiales, nobles vestidos magníficamente, caballeros en sus caballos, jóvenes todos y codiciables. Yo vi que se habían contaminado, que ambas habían seguido el mismo camino. Pero ésta fue más lejos en sus fornicaciones; vio hombres pintados en la pared, figuras de caldeos trazadas con minio, ceñidos sus lomos de sus cinturones, y tiaras de varios colores a la cabeza, todos con apariencia de jefes, figuras de hijos de Babilonia, de Caldea, su patria. Y en viéndolos, se encendió en amor por ellos, y mandó embajadores a Caldea, y entraron a ella los hijos de Babilonia, al lecho de sus amores, y la mancharon con sus impurezas, y ella se contaminó con ellos hasta hartar su deseo; hizo patentes sus fornicaciones y descubrió su ignominia, y yo me asqueé de ella, como me había asqueado de su hermana. Mas todavía acrecentó sus fornicaciones, trayendo a su memoria los días de su mocedad, cuando había fornicado en la tierra de Egipto. Y ardió en lujuria por aquellos lujuriosos, que tienen carne de burro y flujo de garañones".

Oseas, el profeta que se casó con una puta

Oseas figura en la Biblia como el primero de los doce profetas menores. Su actividad se desarrolló en el reino norteño de Israel; comenzó bajo el reinado de Jeroboam II (785 a 745 a. C.) y se prolongó casi hasta el momento de la destrucción del reino, en 722 a. C. El libro que lleva su nombre narra una historia muy extraña. Dios ordena al profeta: "Ve y toma por mujer una prostituta y engendra hijos de prostitución, pues que se prostituye la tierra, apartándose de Yavé". Oseas cumplió la orden. Tomó por mujer a una meretriz llamada Gomer y tuvo con ella tres hijos, a los que puso, por instrucciones de Dios, nombres simbólicos: Jezrael (Dios dispersará), Lo-Rajamá (No-compadecida) y Lo-Amí (No-mi pueblo). Más adelante, Dios le dice a Oseas: "Ve otra vez y ama a una mujer amante de otro y adúltera; ámala como ama Yavé a los hijos de Israel, a pesar de que se van tras otros dioses y se deleitan con las tortas de pasas". El profeta compró la mujer por quince siclos de plata, un *jómer* de cebada y un *letej* de vino, y le dijo: "Has de estarte reservada para mí mucho tiempo, no te prostituyas, no te entregues a hombre alguno; también yo me reservaré para ti, porque mucho tiempo han de estar los hijos de Israel con rey, sin jefe, sin sacrificio y sin cipos". Algunos expertos creen que el profeta sufrió realmente un gran fracaso matrimonial, y convirtió su experiencia en una alegoría de la relación entre Yavé e Israel. Otros replican que se trata tan sólo de una alegoría producto de la imaginación de Oseas.

"Que aleje de entre su pecho sus prostituciones"

"Potestad de vuestra madre, porque ni ella es mi mujer ni yo soy su marido. Que aleje de su rostro sus fornicaciones y de entre sus pechos sus prostituciones, no sea que yo la despoje, y, desnuda, la ponga como el día en que nació, y la convierta en desierto, en tierra árida, y la haga morir de sed. Y no tendré piedad de sus hijos, porque son hijos de prostitución. Su madre se prostituyó; la que los concibió se deshonró y dijo: 'Me iré tras de mis amantes, que ellos me dan mi pan y mi agua, mi lana y mi lino, mi aceite y mi bebida'.

"Por eso voy yo a cercar sus caminos con zarzas y alzar un muro para que no pueda ya hallar sus sendas. Irá en seguimiento de sus amantes, pero no los alcanzará; los buscará, mas no los hallará, y se dirá: 'Voy a volverme con mi primer marido, que mejor me iba entonces que me va ahora'. No ha querido reconocer que era yo quien le daba el trigo, el mosto y el aceite, y la plata que yo pródigamente le di, igual que el oro, se lo consagró a Baal.

"Por eso voy a recobrar mi trigo a su tiempo, mi mosto a su sazón, y me tomaré mi lana y mi lino, que habían de cubrir su desnudez, y voy a descubrir sus vergüenzas a los ojos de sus amantes. Nadie la librará de mi mano. Haré cesar todas sus alegrías, sus fiestas, sus novilunios, sus sábados y todas sus solemnidades. Talaré sus viñas y sus higuerales, de los que decía: 'Es el salario que mis amantes me dan'. La reduciré a un matorral y la devorarán las bestias del campo. La castigaré por los días en que incensaba a los baales y, adornándose con sus anillos y sus collares, se iba con sus amantes y me olvidaba a mí, dice Yavé.

Así, la atraeré y la llevaré al desierto y le hablaré al corazón, y, fuera ya de allí, yo le daré sus viñas y el valle de Acor como puerta de esperanza, y allí cantará como cantaba en los días de su juventud, como en los días en que subió de la tierra de Egipto. Entonces, dice Yavé, me llamará *Ishí,* no me llamará *Baalí*".

Las mujeres casadas israelitas utilizaban indistintamente las palabras *ishí* (mi señor) y *baalí* (mi dueño) para referirse al marido. Pero el segundo término evoca al dios fenicio Baal. De ahí la aclaración del profeta al afirmar, en tono alegórico, que una vez se produzca la reconciliación conyugal su esposa no volverá a dirigirse a él mediante una fórmula que recuerde a una deidad pagana.

Capítulo XVIII
La ley

Normas sobre sexo

La *Torá* (Enseñanza), como se denomina al conjunto de los cinco primeros libros de la Biblia, recoge más de seiscientas leyes sobre aspectos religiosos, sociales y familiares, que se concentran en tres grandes bloques: el código de la Alianza (capítulos 20 a 23 del libro de Éxodo), las leyes sacerdotales (casi todo el Levítico y algunos apartados de Números) y el código deuteronómico (capítulos 12 a 26 del Deuteronomio). Hay además otras instrucciones sueltas, como la de circuncidar a los varones a los ocho días de nacido, que figura en el Génesis. Aunque la tradición sostiene que el cuerpo legal lo dictó Dios a Moisés durante la travesía por el desierto hacia la Tierra Prometida —siglo XIII a. C.—, los investigadores bíblicos argumentan que los tres bloques normativos fueron redactados por distintos autores y en fechas muy posteriores a los tiempos de Moisés. Ello no se contradice, por supuesto, con que algunas regulaciones procedan de la época mosaica o se inspiren en códigos incluso mucho más antiguos, como el del emperador babilonio Hammurabi, del siglo XVIII a. C., que ejerció una enorme y prolongada influencia en la región.

Para una mejor comprensión de la composición y sonoridad de esas leyes, consideramos de interés presentarlas en su traducción literal al castellano. En esta tarea nos hemos apoyado en el excelente *Antiguo Testamento Interlinear Hebreo-Español* (Editorial Clie), de Ricardo Cerni. Para facilitar la lectura usamos los signos de puntuación convencionales.

Antes de la ley mosaica

Génesis

Circuncisión (Este mandato se atribuye a la época de Abraham, muy anterior a Moisés. Luego se recogerá en el libro de Levítico.)

17,10-12. Éste es mi pacto que guardarás entre mí y entre vosotros y entre tu descendencia después de ti: será circuncidado entre vosotros todo varón, y seréis circuncidados en la carne de vuestro prepucio, y será para señal de pacto entre mí y entre vosotros. El hijo de ocho días de nacido será circuncidado entre vosotros; todo varón por vuestras generaciones nacido en tu casa o comprado con dinero de todo hijo de extranjero que no sea tu descendencia.

La ley mosaica

Éxodo

Adulterio

20,14. No adulterarás.

20,17. No codiciarás casa de tu prójimo, no codiciarás mujer de tu prójimo, y su siervo y su sierva, y su buey y su asno, y todo lo que es de tu vecino.

Seducción de soltera virgen

22,16-17. Si seduce hombre a virgen no prometida y yace con ella, pagará para que sea mujer. Si rehúsa su padre darla a él, dinero pagará como *mohar* de las vírgenes.

Bestialismo

22,19. Todo el que se acueste con bestia morirá.

Matrimonios mixtos

34,15-16. No hagas pacto con morador de la tierra, pues se prostituyen tras sus dioses y sacrifican a sus dioses, y te llamará a ti y comerás de su sacrificio. Y tomarás de sus hijas para tus hijos, y se prostituirán las hijas de él tras sus dioses y harán prostituirse a tus hijos tras los dioses de ellas.

Levítico

Circuncisión

12,3. Y en el octavo día será circuncidado carne de su prepucio.

Gonorrea

15,2-15. Cualquier varón cuando tenga emanación de su carne, su flujo lo hará impuro a él. Y ésta será su impureza en su emanación, fluya su carne su emanación o retenga su carne de su emanación su impureza: todo el lecho donde yaga en él el que emana será impuro y todo mueble donde se siente será impuro. Y cualquiera que toque en su lecho lavará sus ropas y se lavará en agua y será impuro hasta la tarde. Y el que sienta sobre el mueble donde se sentó el que emanó lavará sus ropas y se lavará en agua y será impuro hasta la tarde. Y el que toque en el cuerpo del que emanó lavará sus ropas y se lavará en agua y será impuro hasta la tarde. Y si escupe el que emanó en el limpio, (éste) lavará sus ropas y se lavará con agua y será impuro hasta la tarde [...]. Y cuando esté limpio el que emana de su emanación contará para él siete días para su purificación y lavará sus ropas y lavará su cuerpo con aguas vivas y será limpio. Y en el día octavo tomará dos tórtolas o dos hijos de paloma y vendrá ante Yavé a la puerta de la tienda de reunión y los dará al sacerdote. Y hará a ellos el sacerdote uno ofrenda de pecado y el otro holocausto, y expiará por él el sacerdote ante Yavé por su emanación.

Eyaculación (¿Masturbación?)

15,16. El hombre que salga de él emisión de semen entonces se lavará en agua todo su cuerpo y será impuro hasta la tarde.

Acto sexual

15,18. La mujer que se acueste hombre con ella con emisión de semen entonces se lavarán en agua y serán impuros hasta la tarde.

Menstruación

15,19-22. Y la mujer cuando tenga emanación de sangre es su emanación de su carne: siete días estará en su impureza y todo el que toque en ella será impuro hasta la tarde. Y todo sobre lo que ella se acueste en su período será impuro y todo sobre lo que ella se siente será impuro. Y todo el que toque en su cama lavará sus ropas y se lavará en agua y será impuro hasta la tarde. Y todo el que toque en cualquier objeto sobre el que ella se siente lavará sus ropas y se lavará en agua y será impuro hasta la tarde.

Acto sexual con mujer con la regla

15,24. Y si yacer yace hombre con ella y el período de ella es sobre él, entonces será impuro siete días, y todo el lecho sobre el que yace será impuro.

Incesto

(Uniones prohibidas. Entre corchetes, castigos previstos en el capítulo 20 del Levítico.)

18,6. Hombre cualquiera no se acercará a todo pariente de su carne para descubrir su desnudez, yo Yavé.

18,7. Desnudez de tu padre y desnudez de tu madre no descubrirás; tu madre ella, no descubrirás su desnudez.

18,8. Desnudez de mujer de tu padre no descubrirás, desnudez de tu padre es.

[*20,11.* Hombre que yaciere con mujer de su padre, la desnudez de su padre descubrió: morirán ellos dos; su sangre en ellos.]

18,9. Desnudez de tu hermana hija de tu padre o hija de tu madre, nacida en casa o nacida fuera, no descubrirás su desnudez.

[*20,17.* Hombre que tome a su hermana, hija de su padre o hija de su madre, y vea su desnudez y ella vea la desnudez de él, detestable es y serán cortados a los ojos de los hijos de su pueblo; desnudez de su hermana descubrió, su culpa llevará.]

18,10. Desnudez de hija de tu hijo o hija de tu hija no descubrirás su desnudez, pues son tu desnudez.

18,11. Desnudez de hija de mujer de tu padre nacida de tu padre tu hermana es, no descubrirás su desnudez.

18,12-13. Desnudez de hermana de tu padre no descubrirás, pariente de tu padre es. Desnudez de hermana de tu madre no descubrirás, pues pariente de tu madre es.

[*20,19.* Desnudez de hermana de tu madre y de hermana de tu padre no descubrirás, pues a su pariente deshonrará; su iniquidad llevarán.]

18,14. Desnudez de hermano de tu padre no descubrirás; a su mujer no te acercarás, tu tía es.

[*20,20.* Hombre que yaciere con su tía, la desnudez de su tío descubrió; su culpa llevarán, sin hijos morirán.]

18,15. Desnudez de tu nuera no descubrirás, mujer de tu hijo es, no descubrirás su desnudez.

[*20,12.* Hombre que yaciere con su nuera morirán ellos dos: maldad hicieron, su sangre en ellos.]

18,16. Desnudez de mujer de tu hermano no descubrirás, desnudez de tu hermano es.

[*20,21.* Hombre que tome mujer de su hermano, impureza es; desnudez de su hermano descubrió, sin hijos serán.]

18,17. Desnudez de mujer y su hija no descubrirás, hija de su hijo o hija de su hija no tomarás para descubrir su desnudez, parientes ellas, maldad es.

[*20,14.* Hombre que tome mujer y a su madre vileza es: en el fuego quemarán a él y a ellas, y no habrá maldad entre vosotros.]

Unión con hermanas

18,18. Mujer con su hermana no tomarás para rivalizar para descubrir su desnudez sobre ella en su vida.

Menstruación

18,19. A la mujer en período de su impureza no te acercarás para descubrir su desnudez.

[*20,18.* Hombre que yaciere con mujer menstruosa y descubre su desnudez, su fuente descubrió y ella desveló la fuente de su sangre, y serán cortados los dos de entre su pueblo.]

Adulterio

18,20. A mujer de tu vecino no darás tu emisión de semen para hacerte impuro con ella.

[*20,10.* Hombre que adultera con mujer de otro, que adultera con mujer de su prójimo, morirá el que adultera y la que adultera.]

Homosexualidad

18,22. Con varón no yacerás yacientes de mujer, abominación es.

[*20,13.* Hombre que yaciere con varón yacientes de mujer hicieron abominación: ellos dos morir morirán, su sangre en ellos.]

Bestialismo

18,23. Y con cualquier bestia no darás tu emisión para hacerte impuro con ella, y mujer no se presentará ante bestia para procrear con ella, perversión es.

[*20,15-16.* Hombre que dé su emisión de semen a bestia, morirá, y a la bestia mataréis. Y mujer que llegare a cualquier bestia para multiplicarse con ella, matarás a la mujer y a la bestia; morirán, su sangre en ellos.]

Acto sexual con sierva ajena

19,20-21. Si un hombre yace con mujer con emisión de semen, y ella es esclava prometida a hombre y no está rescatada o la libertad no le fue dada, castigo será que no morirán pues no es libre. Y él traerá su ofrenda de pecado a Yavé a la puerta de la tienda de reunión, carnero ofrenda de culpa.

Prostitución

19,29. No degradarás a tu hija para prostituirla y no se prostituirá la tierra y se llenará la tierra de maldad.

Fornicación de hija del sacerdote

19,7. Hija de sacerdote si se contamina para prostituirse, a su padre deshonra; en el fuego será quemada.

La mujer del sacerdote

21,13-14. Y él (el sacerdote) mujer en su virginidad tomará. Viuda o repudiada o contaminada ramera, éstas no tomará, sino virgen de su pueblo mujer tomará.

Números

Prueba de celos por sospecha de adulterio

5,12-31. Cada hombre que se desvíe su mujer y sea infiel a él, y yace hombre con ella con emisión de semen y se oculta de ojos de su marido y no es descubierta y ella es impura [está en su período menstrual], y testigo no hay contra ella y ella no fue sorprendida, y viene sobre él espíritu de celos y sospecha de su mujer y ella es impura; o viene sobre él espíritu de celos y sospecha de su mujer y ella no es impura; entonces llevará el hombre a su mujer al sacerdote y llevará ofrenda por ella de una décima de *efá* de harina de cebadas. No echará aceite sobre él y no pondrá incienso sobre él por ofrenda de celos; es ofrenda de recuerdo que hace recordar culpa. Y llevará a ella el sacerdote y la presentará ante Yavé. Y tomará el sacerdote agua santa en vaso de barro y del polvo que hay en el suelo del tabernáculo tomará el sacerdote y pondrá en el agua. Y presentará el sacerdote a la mujer ante Yavé y descubrirá la cabeza de la mujer y pondrá en sus manos la ofrenda del recuerdo, ofrenda de celos ella, y en manos del sacerdote estarán las aguas amargas, las que traen maldición. Y conjurará a ella el sacerdote y dirá a la mujer: "Si no yació hombre contigo y si no te desviaste impura bajo tu marido, queda sin daño de las aguas amargas las que traen maldición. Pero si tú te desviaste bajo tu marido y si te ensuciaste y te dio hombre su emisión aparte de tu marido". Y conjurará el sacerdote a la mujer en maldición del juramento y dirá el sacerdote a la mujer: "Que te dé Yavé según maldición y según denuncia entre tu pueblo provocando Yavé tu muslo decadente y tu vientre hinchado. Y entren las aguas amargas en tu cuerpo para hinchar el vientre y debilitar el muslo", y dirá la mujer: "Amén, amén". Y escribirá estas maldiciones el sacerdote en el libro y mojará en las aguas amargas. Y beberá la mujer las aguas amargas, las que traen maldición, y entrarán en ella las aguas que traen maldición como amargas. Y tomará el sacerdote de la mano de la mujer la ofrenda de los celos, y mecerá la ofrenda ante Yavé y la llevará al altar. Y tomará el sacerdote un puñado de la ofrenda memorial de ella y quemará en el altar y después beberá la mujer el agua. Y le hará beber el agua y será si se ensució y fue infiel con su marido y entrarán en ella las aguas que traen maldición como amargas y se hinchará su vientre y se debilitará su muslo, y será la mujer por maldición en medio de su pueblo.

Y si no se ensució la mujer y limpia es, será libre y tendrá descendencia. Ésta es la ley de los celos cuando se desvía mujer bajo su marido y se ensucia.

Deuteronomio

Adulterio

5,18. No adulterarás.

5,21. No codiciarás mujer de tu prójimo y no desearás casa de tu prójimo, su casa, ni su siervo ni su sierva, ni su buey ni su asno, ni nada de tu prójimo.

Matrimonios mixtos

7,3-4. (*Se refiere a los siete pueblos que habitaban Canaán a la llegada de los israelitas: hitita, guirgasita, amorita, cananita, fericita, hivita y jebsita.*) Y no te casarás con ellos, tu hija no darás a su hijo y su hija no tomarás para tu hijo, pues volverá a tu hijo detrás de mí y servirán a otros dioses y arderá la ira de Yavé contra vosotros y te destruirá rápido.

El rey y la poligamia

17,17. No aumentará para él mujeres y no se desvíe su corazón.

El desposado y el servicio militar

20,7. ¿Y quién el hombre que se prometió a mujer y no la tomó? Vaya y vuelva a su casa, no sea que muera en la batalla y otro hombre la tome.

Travestismo

22,5. No estará ropa de varón sobre mujer y no vestirá varón ropa de mujer, pues abominación de Yavé tu Dios es todo el que hace esto.

Prueba de virginidad

22,13-21. Si toma hombre mujer y entra a ella y la aborrece, y pone a ella escandalosas cosas y da a ella mal nombre, y dice: "A esta mujer tomé y me acerqué a ella y no encontré en ella (señales) vírgenes", entonces tomará el padre de la muchacha y su madre y sacarán (señales) vírgenes de la muchacha a los ancianos de la ciudad, a la puerta. Y dirá el padre de la muchacha a los ancianos: "Mi hija di a este hombre por mujer y la aborrece. Y he aquí él pone escandalosas palabras diciendo: 'No hallé a tu hija (señales) vírgenes', pero éstas son las (señales) vírgenes de mi hija"; y extenderán la vestidura ante los ancianos de la ciudad. Y tomarán los ancianos de la ciudad al hombre y lo castigarán, y lo multarán con cien siclos de plata y lo darán al padre de la joven, pues esparció mal nombre sobre una virgen de Israel, y a él será por mujer y no podrá despedirla en todos sus días. Y si fuese verdad esta cosa y no se hallaren (señales) vírgenes a la muchacha, sacarán a la muchacha a la puerta de la casa de su padre y la apedrearán los hombres de la ciudad con las piedras y morirá, pues hizo vileza en Israel prostituyéndose en casa de su padre, y quitarás el mal de en medio de ti.

Adulterio con una casada

22,22. Si se hallare hombre yaciente con mujer adueñada del dueño [casada], entonces morirán los dos, el hombre yaciente con la mujer y la mujer, y quitarás el mal de Israel.

Adulterio con una mujer prometida

22,23-27. Si hubiera una muchacha virgen prometida a hombre y la hallare un hombre en la ciudad y yaciere con ella, entonces serán sacados los dos a la puerta de la ciudad y los apedrearéis con piedras y morirán, la joven porque no gritó en la ciudad y el hombre porque humilló a la mujer de su prójimo, y quitarás el mal de en medio de ti. Y si en el campo halló el hombre a la muchacha prometida, y la forzare y yaciere con ella, morirá sólo el hombre que yació con ella, pero a la joven no harás nada. No hay para la joven pecado de muerte, pues como se levanta un hombre contra su vecino y lo mata, así es este asunto, pues en el campo la halló, gritó la joven prometida y no hubo salvador para ella.

Violación de una soltera

22,28. Cuando un hombre hallare a una joven virgen que no es prometida, y la agarrare y yaciere con ella y fuesen encontrados, dará el hombre que yació con ella al padre de la joven cincuenta siclos de plata y será su mujer; por cuanto la humilló no puede despedirla en todos sus días.

Incesto

22,30. No tomará hombre la mujer de su padre y no descubrirá el lecho de su padre.

Miembro viril

23,1. No entrará el herido, aplastado ni cortado de pene en la congregación de Yavé.

23,3. No entrarán amonita y moabita en la congregación de Yavé, ni aun en la décima generación. No entrará a ellos en la congregación de Yavé hasta siempre.

Matrimonios mixtos

23,7-8. No odiarás al edomita, pues tu hermano es; no odiarás al egipcio pues extranjero fuiste en su tierra; hijos que nacieron a ellos generación tercera entrará a ellos en la congregación de Yavé.

Polución nocturna durante la campaña militar

23,10-11. Si hubiere entre ti hombre que no fuere limpio de fuente nocturna, entonces saldrá del campamento y no entrará en el campamento. Y será antes de la tarde se lavará en agua y cuando se ponga el sol entrará en el campamento.

¿Prostitución sagrada?

23,17.18. No haya *qdeshá* (*sagrada,* designación para empleados de culto) entre las hijas de Israel y no *qadesh* (*sagrado*) entre los hijos de Israel

23,18. No traigas paga de prostituta o precio de perro a la casa de Yavé tu Dios.

Divorcio

24,1-4. Cuando hombre tomare mujer y se casa con ella, y sucede si no halla gracia a los ojos de él pues halla en ella infamia de cosa, y escribiera para ella libro de divorcio, y lo entregare en su mano y la despidiere de su casa, y ella saliese de su casa, y marchare de casa de él y fuese para otro hombre, y la aborreciese el segundo hombre, y escribe para ella libro de divorcio y lo entregare en su mano y la despide de su casa, o si muriere el segundo hombre que la tomó por mujer, no podrá su primer marido que la despidió tomarla de nuevo para él por mujer después porque se volvió impura.

Recién casado y servicio militar

24,5. Cuando tome un hombre mujer nueva no saldrá a la guerra y no se cargará sobre él ninguna cosa; libre estará en su casa y alegrará a su mujer que tomó.

Levirato

25,5-6. Si habitan hermanos juntos y muere uno de ellos e hijo no hay para él, no será la mujer del muerto afuera para hombre extraño; su cuñado entrará a ella y la tomará para él y la emparentará. Y el primogénito que dé a luz llevará por nombre de su hermano el muerto, y no se borrará su nombre de Israel.

Miembro viril

25,11-12. Si se pelean hombres juntos, hombre y su hermano, y se acerca la mujer de uno para librar a su hombre de la mano de su atacante y ella envía su mano y agarra con fuerza en sus órganos genitales, cortarás la mano de ella, no se compadecerá tu ojo.

Maldiciones

Incesto

27,20. Maldito el que yace con esposa de su padre porque descubre lecho de su padre; y dirá todo el pueblo: Amén.

Bestialismo

27,21. Maldito el que yace con cualquier animal; y dirá todo el pueblo: Amén.

Incesto

27,22. Maldito el que yace con su hermana hija de su padre o hija de su madre; y dirá todo el pueblo: Amén.

27,23. Maldito el que yace con su suegra; y dirá todo el pueblo: Amén.

Bibliografía

Ackerman, Susan, *Warrior, Dancer, Seductress, Queen: Women in Judges and Biblical Israel*, Anchor Books, Nueva York, 1998.

Carmichael, Calum M., *Law, Legend, and Incest in the Bible: Leviticus 18-20*, Cornell University Press, Ithaca, Nueva York, 1997.

Davidson, Richard M., *Flame of Yahweh, Sexuality in the Old Testament*, Hendrickson Publishers, 2007.

—, *The Theology of Sexuality in the Beginning*, Andrews University Seminary Studies 26, 1988.

Friedman, Richard Elliot, *¿Quién escribió la Biblia?*, Ediciones Martínez Roca, Barcelona, 1989.

Gerard, André-Marie, *Diccionario de la Biblia*, Anaya & Mario Muchnik, Madrid, 1995.

Graves, Robert y Raphael Patai, *Los mitos hebreos*, Alianza Editorial, Madrid, 1986.

Landy, Francis, *Leviticus, Deconstruction and the Body*, Joral of Hebrew Scriptures, vol. 2, 1999.

Menn, Ester M., *Sexuality in the Old Testament: Strong as Death, Unquenchable as Fire*, Currents in Theology and Mission, febrero de 2003.

Robertson, Palmer O., *The Genesis of Sex: Sexual Relationships in the First Book of the Bible*, P & R Publishing, Phillipsburg, Nueva Jersey, 2002.

Robinson, Bernard P., *The Story of Jephthah and his Daughter: Then and Now*, Biblica 85, 2004,

Rodd, Cyril S., *The Family in the Old Testament*, The Bible Translator 18, 1967.

Sanders, James A., *The Family in the Bible*, Biblical Theology Bulletin, Fall 2002.

Taner, J. Paul, *The History of Interpretation of the Song of Songs*, Biblioteca Sacra, 1997.

Wenham, Gordon J., *The Old Testament Attitude to Homosexuality*, Expository Times 102, 1991.

Nudism in the Bible, en la página electrónica www.religioustolerance.org.

What the Bible says about homosexuality, en la página electrónica www.religioustolerance.org.

Diccionarios y enciclopedias en Internet

Encyclopaedia Biblica, Ed. Thomas Kelly Cheyne and John Sutherland Black, Nueva York, Macmillan; London, Adam and Charles Black, 1899-1903.

And Adam knew Eve. A dictionary of Sex in the Bible, Ecker, Ronald L.

Baker's Evangelical Dictionary of Biblical Theology

Easton's Bible Dictionary

International Standard Bible Encyclopaedia

Jewish Encyclopaedia

Smith's Bible Dictionary

Índice onomástico